Le diable dans l'île

Pour A.

Et puis, sans nulle hâte ni violence spéciales,
il frappa le Maître sur la bouche.
Le Maître bondit et sembla transfiguré.
Je ne le vis jamais aussi beau.
— Un coup ! s'écria-t-il. Je n'en recevrais pas
du Dieu Tout-Puissant !
— Baissez la voix, dit Mr. Henry. Voulez-vous donc que votre père
intervienne de nouveau en votre faveur ?
— Je veux du sang, j'aurai du sang pour cela, dit le Maître.
— Le vôtre, s'il plaît à Dieu, dit Mr. Henry.
Et il s'en alla décrocher à une panoplie du mur une paire de sabres
nus. Puis il les présenta au Maître par les pointes.
— Je vous ai toujours haï, dit le Maître.

Robert-Louis Stevenson,
Le Maître de Ballantrae

CHRISTIAN DE MONTELLA

Le diable dans l'île

Castor Poche Flammarion

Quand je fus en âge, non seulement de marcher et de former des phrases, mais aussi de choisir mes destinations et de me taire à bon escient – ce qu'on apprend très tôt chez nous : nous sommes les maîtres d'une *sierra* où il neige huit mois sur douze, où survivre c'est reconnaître un sentier sous cinq mètres de congères et se servir d'une arme avant toute discussion –, mon père décida de confier mon apprentissage à mon aîné.

J'avais huit ans, Felipe en avait quinze. C'était un adolescent fluet.

Dans les miroirs – de l'étain poli ou l'eau étale d'une mare – il comptait les poils follets lui poussant sur la lèvre. Il ressemblait à notre mère. Elle était belle et délicate. Elle l'avait adoré. Elle était morte en me donnant le jour.

Je ressemblais à mon père. J'aimais me battre et lire des livres de voyages et de conquêtes.

J'en lisais dès cinq ans. Je voulais déjà connaître tout du monde. Connaître, c'est s'emparer. Je m'emparais des in-folios de la bibliothèque comme j'aurais conquis des territoires. J'avais cinq ans, et j'étais déjà convaincu que mon père m'estimait.

Puis j'eus huit ans et voilà quelle fut la volonté de mon père : me confier aux soins de mon aîné.

Qui à ma place et à mon âge aurait compris les intentions de mon père ? Felipe était l'élève. En lui confiant une partie de mon éducation, c'était lui qu'il voulait éprouver.

Lorsque, des années plus tard, il dirigea en second la grande expédition royale vers les îles australes, mon père, je le reconnais, a seul compris quelle attitude adopter en face des indigènes, et s'il avait été écouté, le monde ensuite en aurait été différent. Mais ce qu'il comprenait quand il s'agissait des indigènes, « ces étranges étrangers », il fut incapable de le deviner lorsqu'il s'est agi de ses propres fils.

Felipe et moi étions frères : les parents y voient toujours un motif d'amitié, comme s'ils avaient oublié ce qu'eux-mêmes, enfants, ressentaient pour leurs frères et sœurs. Ils refusent d'admettre qu'il y a plus de rivalité naturelle entre deux frères qu'entre n'importe quels autres garçons.

Institué mon précepteur, Felipe s'ingénia à m'apprendre ce qui n'était pas de mon âge mais le passionnait et le différenciait de moi : rhétorique, poésie, composition musicale ; en dessin, les dernières découvertes de la perspective ; en peinture, les effets de lumière, de profondeur et de drapé.

À ses questions, aux exercices qu'il m'imposait, mes réponses étaient toujours fausses. Le monde, bientôt, me parut une prison dont je ne m'évaderais qu'en grandissant et dont mon frère était le gardien farouche.

Il me fit fouetter par un domestique, puis – le jeu lui sembla-t-il plus drôle ? (mais jouait-il ?) – il me fouetta lui-même. Chaque matin je me levais le ventre tordu de peur. Il y aurait d'autres questions :

— Quelles sont les règles de composition d'un sonnet ?

— Qu'est-ce qu'un sonnet ?

— Imbécile. Alors donne-moi la définition de l'oxymoron. Vite. Le fouet me démange.

— L'oxy… quoi ?

— Crétin. Parle-moi d'Ovide.

— Qui est-ce ?

— Tourne-toi. Dix coups de fouet pour commencer. Nous verrons après si l'intelligence te vient. Comme aux ânes.

Je vécus ainsi plusieurs mois de terreur. Je n'en racontai rien à mon père. J'étais sûr d'être un imbécile, un crétin, un âne. Il ne fallait pas que mon père en soit averti.

Je le reconnais : j'étais un imbécile, car j'éprouvais beaucoup de reconnaissance envers mon frère parce que jamais il n'apprenait à notre père ma stupidité. Au contraire, quand notre père lui posait une question sur mon éducation, Felipe répondait :

— Il est en bonne voie. Il sera bientôt ce qu'il doit être.

Pourtant je le vis pâlir quand notre père, un soir, lui dit qu'il était temps d'allier l'apprentissage de mon esprit à celui de mon corps.

— Demain, conclut-il, vous laisserez de côté vos livres. Vous ferez du cheval et une heure d'escrime. Vous monterez mes propres étalons.

À l'aube, nous nous retrouvâmes dans la cour du château. Des valets avaient déjà sellé, harnaché, préparé nos montures. Pour la première fois depuis des mois, je n'avais pas mal au ventre. Au contraire : j'étais heureux de placer mon pied dans les mains croisées du valet pour qu'il me hisse sur le cheval.

Je saisis les rênes, tirai un peu sur la bouche de l'étalon tout en lui serrant les flancs entre mes jambes d'enfant ; il s'agissait de l'éprouver aussitôt, lui montrer que peu importaient mon poids et ma taille : j'étais le maître. Je ne crois pas que je remarquai la pâleur de Felipe, ni la sueur qui, malgré la fraîcheur d'un matin d'automne, lui perlait au front. Je vis pourtant qu'il dut s'y reprendre à deux fois avant d'enfourcher le cheval, et que sa monture rua, encensa, fit sa bourrique dès qu'il fut sur son dos. Entre eux aussi se décidait qui serait le maître.

Les valets ouvrirent la porte cavalière. Je frappai le cheval des talons, il partit dans un galop tranquille, rythmé, il avait compris déjà qu'à la moindre incartade je lui blesserais la bouche. Sans prendre garde à mon frère, je lâchai la bride à ma monture, profitai de cet espace immense de hauts plateaux qui s'ouvrait devant moi, devant la course de mon cheval, ma course, après tant de matins passés dans la tour et l'étude, la peur et les coups de fouet.

Je galopai jusqu'au bord d'un ravin. L'ai-je fait exprès ? Je ne sais plus.

Une giclée de pierres vola sous les sabots de mon cheval, elles rebondirent longtemps avant d'atteindre le lit du torrent à sec, au fond. Ce n'est qu'alors que je me retournai.

Mon frère avait agrippé des deux mains la crinière de sa monture. Une monture qu'il ne maîtrisait plus. Ils étaient à deux cents pas derrière moi, lancés à folle allure. Jamais le cheval ne s'arrêterait avant le ravin.

J'ignore encore comment j'ai fait. Je n'ai pas réfléchi. Mon corps, mon instinct prirent leurs décisions à ma place. Mon cheval, je n'y pensais pas : il était une projection de mon corps, sa puissance et sa vitesse étaient les miennes.

J'ai – nous avons – coupé la route de mon frère et de sa monture, qui, surprise, effrayée, dévia de sa trajectoire, ralentit et, l'œil écarquillé, blanc, s'immobilisa soudain et se cabra. Felipe tomba dans la caillasse.

Je pris d'abord le temps de saisir son cheval au mors, de le calmer en quelques mots, quelques caresses. Puis je démontai et m'approchai de mon frère, toujours étendu au sol. Je m'accroupis, lui mis la main sur l'épaule.

— Felipe ?

— Ne me touche pas !

Vif comme une vipère, il se retourna, me gifla.

— Le fouet ! hurla-t-il d'une voix criarde. Dès qu'on rentre : le fouet !

Il était à la fois blême et rouge, en sueur et glacé. Il me dégoûta et me fit honte. Je m'écartai et lui répliquai simplement :

— Essaie.

Cet incident suffit à m'éclairer ce que je ne me résignais pas à comprendre depuis des mois : mon frère me haïssait. Le motif de sa haine, cependant, m'échappait. Je sais aujourd'hui que le simple fait de ma naissance en fut la cause principale.

En venant au monde j'avais tué ma mère, sa mère qu'il adorait. Felipe avait été un enfant rêveur et fragile dont la maladresse et la timidité physiques avaient très tôt éloigné de lui mon père. Il s'était formé dans la proximité apaisante et douce des femmes.

J'ai, quant à moi, grandi auprès d'une nourrice qui me donna, je crois, mon content de soins maternels et, très tôt, mon père prit mon éducation à cœur et s'en chargea avec l'exigence impatiente qui est le principal trait de son caractère. Je crois que, dès que je sus marcher et parler avec assez d'assurance (dès que je commençai, en somme, à l'intéresser), il cessa de me traiter comme un enfant. À ses yeux, je devins un compagnon, qu'il fallait certes protéger, mais surtout aguerrir.

Avec mon frère, il n'agit pas autrement. Mais Felipe avait sept ans de plus que moi, se souvenait de sa mère comme d'un paradis perdu de douceur et il était déjà trop tard pour en faire un fils au goût de notre père. Felipe n'apprenait rien : il feignait d'apprendre par crainte du mépris paternel.

Quoi qu'il en soit, il ne me fouetta jamais plus. Il brûlait de le faire, après l'incident de cheval, mais nous nous retrouvâmes à la salle d'armes où notre père nous attendait, désirant assister à notre assaut d'escrime. Sous ses yeux, nous dûmes nous affronter selon les règles.

J'étais encore bouleversé par la haine que je venais de découvrir en mon frère. Sans doute Felipe l'était-il lui aussi de l'avoir exprimée à nu. Il était plus grand et plus fort que moi. Mais notre père nous observait et moi seul me sentais son fils.

L'assaut d'escrime fut une triste mascarade. Felipe récita laborieusement les quelques fentes, feintes, parades qu'il connaissait. Je n'eus aucun mal à les anticiper – le même maître d'armes nous les avait apprises – et je savais improviser. Je le désarmai deux fois et l'aurais sans doute blessé si nos lames n'avaient été mouchetées.

Je crois cependant que Felipe se moquait de perdre ce duel. Il n'accordait d'importance qu'aux vers qu'il écrivait, à la musique qu'il composait, aux aquarelles qu'il peignait. Mon talent à cheval et pour les armes, il le méprisait.

Mais il ne méprisait certes pas les compliments de notre père. L'assaut terminé, mon père ne se moqua pas de lui, ne le réprimanda pas. Il l'ignora.

Il vint à moi les bras larges ouverts, m'appela son fils, me prit par les aisselles et me souleva en triomphe.

Felipe jeta son épée à terre. Il quitta sans un mot la salle d'armes.

Première partie
L'île

I

Mer calme. Trop calme. Pas de brise. Les voiles espéraient la brise.

Nous naviguions depuis cinquante-deux jours sans croiser d'autre terre que des îles basses, noyées, inhabitables. Pendant cinquante-deux jours, tous les soirs, au moment où le soleil couchant rougissait la mer, l'équipage s'agenouillait sur le pont du *Los tres Reyes de Mayo* et récitait le « Salve Regina ». Après un mois à croiser sur cet océan désespérément calme et chaud, je surpris des soldats et des marins faisant d'autres prières : ils suppliaient la Vierge de les épargner, de préserver le navire d'un basculement hors du disque du monde. Je compris que peu d'entre eux encore admettaient que la terre était ronde : ils craignaient de chuter dans le vide infini des limbes ou de l'enfer.

***

Le 21 décembre 1604, jour du solstice d'hiver (j'avais quatorze ans), les trois navires de l'expédition de Pedro de Escobar et de Hernando de Torre Santo étaient sortis du port de Callao sous les acclamations de la foule. Un an plus tôt, mon frère aîné Felipe et moi avions rejoint notre père au Pérou où, en tant qu'officier et cadet d'un Grand d'Espagne, il était venu depuis deux ans servir Dieu, répandre la foi catholique et aider à agrandir la couronne de notre Seigneur Roi, Philippe III, par-delà l'océan et jusqu'en *terra incognita*.

Les trois vaisseaux avaient mis toutes les voiles et, profitant d'une brise favorable, commencé le voyage vers le sud-ouest de l'océan Pacifique où don Pedro de Escobar et mon père avaient promis de découvrir le continent austral, cette Terre d'Orphir dont parle la Bible et où l'or coule à foison. Ce jour-là, j'étais en grande exaltation, debout à la proue du navire amiral. J'admirais les grandes voiles carrées et triangulaires qui nous ouvraient une route d'écume vers l'horizon calme, l'inconnu et la découverte d'un nouveau monde que le grand Magellan n'avait fait que frôler.

***

Cinquante-deux jours plus tard, les réserves d'eau et de vivres étaient au plus bas. On ne distribuait plus aux hommes qu'un quart d'eau potable par jour. Le général en chef de l'expédition, don Pedro de Escobar, qu'on ne voyait jamais, ne buvait plus qu'à peine, disait-on sur le navire amiral. Il donnait l'exemple du sacrifice. Je m'appliquai à mon tour à boire le moins possible et, si mon père ne m'y avait pas contraint, je n'aurais plus bu une goutte. À genoux chaque soir sur le pont du bateau, je promettais au Christ d'imiter son courage dans le désert.

Au matin du cinquante-troisième jour, la vigie cria enfin le mot que nous attendions tous : « Terre ! » que des indices sur l'océan (du bois flotté, des oiseaux, des coques de fruit à la dérive) nous faisaient espérer toute proche. Je me jetai à l'assaut du grand mât et grimpai comme un singe jusqu'au poste de vigie. Le marin tapait dans ses mains, de joie.

— Regardez, monseigneur ! Il y a une montagne ! Et une forêt ! Et la mer est au centre !

En effet, l'île ressemblait aux descriptions que mon père m'avait fait lire dans les récits des derniers découvreurs : un anneau de plages et de bois touffus entourant comme un lac de mer intérieure, derrière lequel s'élevait la masse sombre et haute d'un mont volcanique. Je redescendis sur le pont pour rejoindre mon père, don Hernando de Torre Santo. Il avait revêtu son armure, ainsi que tous les soldats, et épongeait dans un mouchoir de dentelle la sueur dégoulinant à son front.

— Nous sommes arrivés ! lui criai-je.

— Non, ce ne sera qu'une escale, Diego. Nous allons refaire nos réserves d'eau et de vivres et nous continuerons plus au sud.

2

Les navires mirent près de trois heures à parvenir près de l'île. Dès qu'elle fut assez proche, je vis la plage noircir, et je compris, plus le vaisseau avançait, qu'une foule s'y assemblait. Il y eut un grand cri de joie sur le pont : l'île était habitée, il y aurait de l'eau fraîche et peut-être de la viande. Avant que les hommes aient eu le temps de se demander quel accueil leur serait réservé par les indigènes, mon père donna l'ordre de mettre une chaloupe à la mer, désigna les dix hommes qui l'accompagneraient et leur dit de se munir de menus objets pour le troc.

— Alors, petit Diego, tu n'as pas peur ?

Felipe, mon frère aîné, vêtu de sa cuirasse

de lieutenant, s'était approché sans que je m'en aperçoive. Frère Martin de Munilla, vicaire général* de l'expédition, l'accompagnait, se frottant les mains.

— Au contraire, dis-je. Je suis heureux.

— Tu as raison. Nous allons trouver de nouveaux sujets à notre roi et de nouveaux fidèles à notre Église.

— Nous allons trouver un nouveau monde, répliquai-je. Et des peuples qui vivent d'une façon étrange, fascinante.

— Rêveries de gamin, ricana Felipe. N'est-ce pas, frère Martin?

— Il n'y a de monde nouveau que pour les hommes, dit le vicaire.

Je n'aimais pas beaucoup le frère Martin de Munilla. Il ne ressemblait pas à un franciscain**, ordre dont mon père m'avait appris à respecter la pauvreté et le courage. Un frère franciscain est maigre: sous son aube claire, frère Martin avait une jolie bedaine. Un frère franciscain est humble et dévôt: frère Martin

* Dignitaire catholique chargé d'établir et d'administrer des paroisses et des prêtres dans une région du monde qui n'est pas encore évangélisée.

** Religieux appartenant à l'ordre fondé par saint François d'Assise.

était très fier de son intelligence pratique et précise et, dans sa bouche, les mots de la religion sonnaient comme des phrases politiques.

— Pour notre Seigneur Dieu, poursuivit-il, rien de nouveau sous le soleil. Et ce que vous trouvez « étrange » ou « fascinant », Diego, n'est qu'une forme de barbarie, voire de diablerie. Nous sommes là pour ramener les peuples dans le giron de leur vrai Dieu.

Je n'avais pas l'âge de discuter. Mais ma qualité de fils du second de l'expédition m'autorisait à poser des questions « naïves » :

— Dieu, puisqu'il est partout, ne peut-il être aimé sous une forme que nous ne connaissons pas ?

C'est Felipe qui répondit, et frère Martin approuvait chacun de ses mots d'un hochement de tête.

— Il n'y a qu'une religion et c'est la nôtre. Tu n'en doutes pas, j'espère ?

Je me retournai, ignorai Felipe et regardai frère Martin dans les yeux – ses petits yeux noirs, porcins.

— Mon frère, demandai-je, nous devrons donc les tuer s'ils ne se convertissent pas ?

Frère Martin m'observa un moment, tout en frottant ses mains courtes et grasses.

— Voyons, Diego, ce serait un crime de prendre la vie de ces sauvages sans les baptiser.

— Vous les baptiserez d'abord, vous les tuerez ensuite ?

Frère Martin rougit mais garda son sourire. Felipe me dit sèchement :

— Nous sommes d'une famille de chrétiens et de défenseurs de la foi. Je m'étonne de ton insolence. Je vais pourtant te répondre comme, j'en suis sûr, frère Martin te répondrait : si les circonstances nous y obligent, nous tuerons les plus mauvais d'entre eux, et la peur que nous inspirerons ainsi aux autres nous permettra sans doute de les baptiser.

Je baissai modestement les yeux.

— Je te remercie de ta leçon, Felipe. J'en ferai mon profit.

Et je courus à l'arrière du navire.

Mon père s'y tenait debout, droit dans sa cuirasse étincelante, au côté du pilote. Il y avait réuni les officiers. Pedro de Escobar, général en chef de l'expédition, comme à son habitude, était resté dans sa cabine, abandonnant les affaires courantes à son second, mon père.

3

— Messieurs, dit mon père, notre voyage, vous le savez, doit nous conduire dans des contrées où aucun chrétien n'a jamais abordé. Des navigateurs, avant nous, ont touché certaines îles des mers australes, nous avons étudié leurs mémoires et en avons tiré des enseignements sur notre future conduite à tenir face aux naturels* que nous serons amenés à rencontrer et dont nous devrons, pour le bien de la Couronne d'Espagne, gagner la confiance, voire l'amitié.

Il s'interrompit un instant, promena son

* Les colonisateurs appelaient « naturels » les personnes vivant dans les contrées qu'ils découvraient.

regard sur l'assistance. Tous l'écoutaient avec attention.

— En premier lieu, don Pedro et moi-même avons édicté un code de moralité dont vous serez les garants et que chaque soldat, chaque homme d'équipage devra suivre impérativement.

Il prit un temps.

— Quoi qu'il en soit, messieurs, voici le précepte le plus important : les naturels des terres où nous allons aborder *devront être aimés comme des fils et redoutés comme les plus mortels des ennemis*.

C'est alors que Felipe, qui s'était silencieusement joint à nous, demanda :

— À quoi reconnaîtrez-vous, père, qu'ils ne sont plus des « fils » mais devenus des « ennemis » ?

Il y eut une rumeur d'approbation. Chacun, visiblement, s'était posé la même question. Felipe s'enhardit :

— Vous comprendrez que nous ne pourrons attendre que le danger soit trop grand avant de nous défendre…

— Je comprends, Felipe. Je te dirai ceci : considère avant tout ces indigènes comme des fils et tu n'en feras pas des ennemis.

Felipe détourna les yeux.

— Les peuples, reprit mon père, et chaque individu de ces terres, doivent être respectés en toute occasion. Les armes à feu ne seront utilisées qu'en dernière extrémité. Encore ne faudra-t-il que tirer à blanc ou en l'air.

— Mais, père…

Felipe se frottait la moustache de plus en plus nerveusement.

— Si, malgré tout, nous sommes débordés… Qu'une circonstance nous ait éloignés et que nous nous retrouvions menacés… ?

— Alors, lieutenant, c'est que tu auras été imprudent.

— Si mes hommes ou moi sommes menacés, nous devrons bien tirer.

— En l'air. Vous tirerez en l'air. Il n'y aura de sang versé, je le répète, qu'en toute dernière extrémité. Comprenez, messieurs, que nous aurons la supériorité des armes mais que nous serons très inférieurs en nombre. Surtout, comprenez que le temps des Conquistadors est révolu. Nous ne décimerons pas des populations entières – ce dont, d'ailleurs, nous n'aurions pas les moyens. Nous allons porter la parole du Christ et proposer la protection et l'alliance de notre Seigneur Roi.

— Tout de même, grommela Felipe, je ne me laisserai pas dévorer tout cru…

Mon père sourit.

— Tu aurais la viande trop amère, Felipe. Rassure-toi.

Des rires étouffés frémirent. Mon frère rougit.

Mon père leva la séance. Quand tous les officiers et sous-officiers se furent dispersés, il nous appela, Felipe et moi, auprès de lui.

— Qu'en dis-tu ? me demanda-t-il.

— Je ne sais pas s'ils tireront en l'air.

— Pourquoi ?

Je sentis le regard de mon frère sur moi.

— La plupart ont peur, dis-je.

— Et toi ?

— Moi ? répliquai-je. J'ai hâte de débarquer.

Mon père m'ébouriffa les cheveux.

— J'aurais dû te nommer officier.

Mon frère, le poing serré sur le pommeau de son épée, s'éloigna sans un mot.

4

Les hommes descendirent dans la chaloupe. Je me tins près de mon père qui resta debout à la proue, scrutant la plage désormais envahie tout entière au point qu'on n'en discernait plus le sable.

Il fallut, à quelques encablures du rivage, franchir une barrière de vagues, véritable rempart d'écume déferlant dans l'embarcation. Mon père et moi nous agrippâmes aux taquets, secoués, détrempés, salés. Puis la chaloupe s'assagit, un soleil brûlant nous réchauffa et j'aperçus, à travers une eau incroyablement claire et lumineuse, un fond de sable et de coraux où filait la flèche colorée d'un banc de poissons.

Quand je relevai la tête, la chaloupe était à dix pas de la terre ferme. Et des centaines, peut-être des milliers d'hommes nous attendaient.

Mon père fit relever les rames. La chaloupe courut sur son erre jusqu'à ce que sa proue, en douceur, touche le sable. Il sauta à terre, je le suivis, tandis que les marins et Felipe poussaient l'embarcation au sec.

La foule avait reculé de quelques mètres, soudain silencieuse. Mon père leva la main ouverte et prononça quelques phrases de salutation. Je demeurai un pas en arrière. J'observai.

Jamais je n'avais vu des hommes d'une telle beauté physique. Ils avaient des épaules, un ventre et des cuisses de statue antique. Leur peau était sombre, cuivrée, et leurs visages aux traits larges exprimaient une sérénité que je n'avais jamais vue non plus sur aucun visage blanc. Plus tard, mon père décrivit ainsi la beauté des insulaires, prenant pour exemple celle d'un «jeune homme si beau et avec de tels cheveux bouclés qu'il nous sembla la caricature d'un ange». Ce jeune homme s'appelait Mehani, il était devant nous, au premier rang de la foule, je ne connaissais pas encore son nom mais déjà je l'admirais.

Felipe et les marins s'étaient déployés; la

moitié d'entre eux portaient une arquebuse. Canon en l'air, conformément aux ordres. Quand mon père eut achevé son bref discours, il garda la main levée, doigts ouverts, paume offerte, en un signe universel de paix. Felipe murmura dans son dos :

— Nous sommes prêts à tirer... Soyez prudent. Ces sauvages sont bien trop nombreux.

Sans même faire mine de l'avoir entendu, mon père prononça très haut le mot : « Ami » et sourit à la foule des indigènes.

Alors les hommes, aussi loin qu'on pouvait les voir dans cette foule, levèrent leurs armes, arcs et lances, en poussant une clameur énorme qui me fit battre le cœur. Exaltation ? Appréhension ? Je ne savais pas.

— Père... chuchota la voix nerveuse de Felipe.

Mon père ne bougea pas, son sourire ne trembla pas. Au milieu de la clameur qui devenait un chant, il répéta, en détachant les syllabes :

— A-mi !

Sans cesser de chanter – et certains semblaient déjà danser sur place –, les indigènes tendirent leurs armes dans notre direction et, alors que je percevais derrière moi la nervosité grandissante de Felipe et des marins, ils les jetèrent à leurs pieds.

Désarmés, ils ouvrirent les bras, leur chant cessa, ils se mirent à parler avec animation comme s'ils commentaient joyeusement l'événement, puis la foule s'écarta et un homme aux cheveux blancs et aux épaules d'hercule s'avança, portant une palme entre les mains.

— Lieutenant, dit mon père, que vos hommes déposent leurs arquebuses.

— Mais, ce peut être un piège...

— Obéis.

D'une voix étranglée, Felipe transmit l'ordre qui fut immédiatement exécuté.

Avec une solennité tranquille, le vieil hercule vint offrir la palme à mon père qui l'accepta aussitôt, comme il accepta avec bonhomie les claques retentissantes qu'il lui assena sur les épaules en démonstration d'amitié. Après quoi, sans autre forme de cérémonie, la foule déferla sur nous.

Des femmes et des enfants, tous très rieurs et très amicaux, nous offrirent d'énormes noix velues et, riant encore plus de notre effarement devant ces fruits inconnus, en brisèrent la coque et nous incitèrent à en boire l'eau sucrée, douce comme un lait clair. Avec des grimaces comiques et des haussements d'épaules, les hommes dédaignèrent les verroteries et les menus objets que nous prévoyions de leur donner en échange : à tel marin ils réclamèrent sa chemise rouge, à tel autre sa pipe.

Quant à moi, je fus saisi avec ferveur dans les bras musclés du jeune homme qui ressemblait à un ange, lequel, ensuite, d'un geste sans équivoque, me demanda le couteau fixé à ma ceinture. C'était un beau couteau, à la lame en acier de Tolède et au manche d'ivoire des Indes, cadeau de mon père avant qu'il ne s'embarque pour le Pérou, quatre ans plus tôt. Je tenais à ce couteau plus qu'à tout ce qui m'avait jamais appartenu. Mais il était impossible de résister à la séduction enfantine de ce jeune Apollon des îles. Je lui offris mon couteau sans un regret et j'admirai la manière si naturelle dont le jeune homme exprima sa joie quand il en essaya le tranchant sur son ongle puis en caressa, en le tenant près de ses yeux, le manche en corne d'éléphant. Il me dépassait de deux têtes mais me parut à cet instant comme un tout jeune frère.

Cependant le vieil hercule, sans doute cacique* de l'île, attirait mon père vers l'orée

* Mot qu'employaient les Espagnols pour désigner le chef d'une tribu d'Amérique ou des Terres australes.

des arbres. Il se retourna vers nous qui étions submergés d'embrassades :

— Il semble qu'on nous invite à visiter les lieux. Venez.

Felipe se dégagea difficilement de l'étreinte d'un grand gaillard qui convoitait le pectoral étincelant de sa cuirasse, et protesta :

— Nous ne pouvons laisser la chaloupe sans surveillance !

Mon père eut un geste d'agacement.

— Eh bien, surveille-la toi-même. C'est un ordre.

5

Nous suivîmes le cacique, ou plutôt il nous sembla être emportés par une grande vague d'hospitalité et d'affection spontanée. Ces hommes, et beaucoup de leurs femmes, étaient bâtis comme des guerriers mais tendres comme des chiots.

Leur village, des habitations vastes et fraîches, entourées de jardins potagers et d'enclos à cochons, construites partout dans l'île, ne paraissait obéir à aucun plan d'ensemble. Aucune case, pas même celle du cacique, n'était plus vaste ou plus imposante que les autres. Le cacique lui-même, d'ailleurs (ou celui que nous prîmes pour tel), disposait d'une autorité toute relative.

Passant près d'un arbre fort chargé en noix énormes et velues dont j'avais apprécié le lait, il s'adressa à plusieurs jeunes hommes pour qu'ils y grimpent et cueillent ces fruits. En riant, ils refusèrent. L'arbre était de belle taille et son tronc très élevé. Alors le cacique, furieux, entreprit de l'escalader lui-même jusqu'aux palmes où pendaient les noix. Il les cueillit toutes, malgré les protestations d'une partie de la foule, et les jeta aux marins et aux soldats. Puis il redescendit, avec peine ; j'eus peur qu'il ne tombe. Quand il sauta enfin au sol, il sourit et, d'un air méprisant, dit quelques mots aux jeunes hommes qui n'en parurent guère mortifiés : ils rirent encore et semblèrent plaisanter. Le cacique rejoignit mon père : il avait la poitrine et l'intérieur des bras tout écorchés.

Dans une habitation que nous supposâmes celle du cacique, nous fûmes invités à manger du cochon et des fruits. Depuis cinquante-deux jours nous n'avions rien ingurgité d'aussi frais et d'aussi bon. Les marins, torse et pieds nus, avaient oublié toute frayeur et, à demi étendus dans la fraîcheur de l'ombrage, bâfraient paisiblement. Les regardant, je songeai à Felipe, suant en plein soleil sur la plage, le ventre vide, une arquebuse à la main, prêt à défendre une chaloupe que personne ne chercherait à voler.

Mon père, le cacique et quelques hommes mûrs menaient, avec force gestes et mimiques, une conversation animée ; ils semblaient très bien s'entendre. Le jeune homme aux allures d'ange s'était installé auprès de moi. Il taillait dans la viande de cochon à l'aide du beau couteau de Tolède et, de temps à autre, se tournait vers moi pour m'exprimer combien il était satisfait de notre troc. Je me dis qu'en fait de troc je n'avais rien obtenu en retour, à moins que ce cochon, ces tubercules et ces fruits, et l'amitié de ce jeune homme, ne fussent ma part de l'échange. En ce cas, je n'avais pas été trompé.

Un autre jeune homme, moins grand, moins beau, plus âgé mais ressemblant à Mehani comme un frère, vint nous rejoindre. Tous trois nous essayâmes de converser par gestes, comme nos aînés. J'appris ainsi le nom du jeune homme : Mehani, celui de son frère : Ohou, et celui de leur île : Hao. Et j'appris aussi le mien, prononcé dans la langue de Hao : Tiko.

Lorsque mon père décida qu'il fallait regagner les navires, les indigènes manifestèrent la même joie à nous voir partir qu'ils en avaient montré à nous accueillir. (Comme, un peu plus tard, mon père le résumerait à l'intention du général de Escobar, « les insulaires aiment leurs hôtes, mais préfèrent leur tranquillité ».) Les marins allèrent emplir des outres et dix petits tonneaux à la source la plus proche. Ils emportaient trois cochons que le cacique nous avait offerts.

Sur la plage, nous retrouvâmes un Felipe dégoulinant de sueur et assoiffé, agrippé des deux mains à une arquebuse.

— Pardonne-moi, lieutenant, lui dit mon père. Je ne t'ai gardé ni part de cochon grillé ni aucun fruit. Mais un soldat comme toi s'en moque ?

Je crus que Felipe allait tourner de l'œil.

Les marins embarquèrent les tonnelets d'eau, les outres et les cochons dans la chaloupe. Mon père leva la main à l'adresse du cacique puis, se ravisant, s'avança vers lui et le prit dans ses bras, lui tapant de vigoureuses gifles dans le dos. Mehani alors s'approcha de moi, m'ébouriffa les cheveux et me saisit lui aussi dans ses bras. Je crus qu'il allait m'étouffer. Mehani répétait un mot, toujours le même, à mon oreille. Je n'y comprenais rien. Plus tard seulement, je l'ai compris. Et répété à mon tour. Un mot très doux qui signifiait « ami ».

Enfin Mehani me lâcha. Il désigna joyeusement la chaloupe à son frère Ohou et, avant qu'on ait pu l'en empêcher, il y courut et sauta souplement à bord. Il en caressa le bois du plat de la main, souleva une rame et, avec une grimace, en évalua le poids. Il la montra à Ohou en mimant un effort excessif. Sur la plage, les hommes se mirent à rire, à l'imiter.

— Descends de là, le sauvage ! hurla Felipe.

Mehani se tourna vers lui, tint la rame comme une lance et, souriant de sa farce, en frappa la jambe de Felipe qui perdit l'équilibre et se retrouva le nez dans le sable. Les indigènes rirent encore plus fort et – je ne pus m'en empêcher – moi aussi. Tandis que Mehani soulevait la rame au-dessus de sa tête, en un geste comique de vainqueur, mon frère se redressa, le visage barbouillé de sable, et tira son épée. Il était en fureur.

Je criai :

— Mehani ! Attention ! Mehani !

Mon père ordonna :

— Assez, lieutenant !

Mais Ohou, près de moi, se contenta de rire de plus belle.

En effet, Mehani mania la rame comme si soudain elle ne pesait rien et, d'un coup précis, léger, presque moqueur, désarma Felipe. L'épée vola, tournoya, tomba dans l'eau et, sur la plage, les rires redoublèrent.

6

Ce soir-là, le général en chef de l'expédition réunit dans sa cabine tous les officiers et les franciscains de l'expédition.

don Pedro de Escobar était un homme grand et maigre, au nez d'oiseau de proie, à l'œil bleu pâle. Il parlait peu, et seulement pour donner un ordre ou exprimer un souhait. Durant les cinquante-deux jours de navigation, on ne l'avait pas vu plus de trois fois sur le pont, et toujours la nuit. Certains, sur le navire, disaient que c'était un saint ; d'autres, à voix basse, que c'était un fou.

Deux ans plus tôt, il avait organisé une première expédition vers les Terres australes. Elle s'était soldée par un désastre : la moitié des marins et des soldats étaient morts de soif ou avaient été massacrés par les « sauvages ». Depuis, il n'avait eu de cesse de convaincre le roi d'armer des navires pour une autre exploration. Il n'y était parvenu qu'à la condition d'embarquer avec lui don Hernando de Torre Santo, mon père, qui, selon ses exigences, serait sous ses ordres, mais auquel le roi avait confié ses propres instructions. Philippe III voulait agrandir son royaume terrestre plus loin qu'aucun empire au monde ne l'avait été. Parmi les hommes en poste au Pérou, personne n'avait l'expérience de Pedro de Escobar : le roi ne pouvait se passer de lui. Mais personne n'était plus fidèle et plus brave que mon père : le roi comptait sur lui.

Mon père, sur l'invitation de don Pedro, fit le récit de notre débarquement dans l'île. Il raconta l'excellent accueil que les insulaires nous avaient fait et vanta leur générosité, la saine beauté de leur apparence et le goût exquis des fruits, du lait de noix et de la chair de cochon grillée. Il insista beaucoup sur leur ouverture d'esprit et, assis à son côté, je ne pus m'empêcher de remarquer qu'il ne disait pas un mot de l'extravagant épisode qui avait vu le cacique, incapable de se faire obéir, grimper lui-même dans l'arbre à palmes. Ni d'ailleurs de l'altercation comique entre Felipe et Mehani.

— Très bien, très bien, susurra don Pedro lorsque mon père eut terminé son exposé. Voilà qui me rappelle mon précédent voyage. Ces sauvages sont versatiles. Un jour, en effet, ils vous accueillent comme un ami…

Il se frotta le lobe de l'oreille et, d'une voix pateline*, ajouta :

— … Un autre jour, ils vous dévorent.

— Permettez-moi, don Pedro : je puis vous assurer que ces insulaires n'ont certes jamais mangé de chair humaine. Ils sont doux comme des agneaux.

— Des agneaux, oui, reprit le général. Mais pas encore des agneaux de Dieu. N'est-ce pas, frère Martin ?

Le gros vicaire approuva :

— Consacrons la terre de ces païens et baptisons-les.

— Nous le ferons. Dès demain. S'ils sont aussi dociles que le prétend don Hernando, cela ne présentera aucune difficulté. Ensuite, il nous faudra de l'eau pour poursuivre notre voyage. Et des cochons. Au moins une vingtaine.

* Hypocrite et faussement douce.

Mon père reprit la parole:

— Il m'a semblé, général, que les indigènes n'élèvent qu'un ou deux cochons par habitation et ne disposent d'aucune réserve qui leur permettrait de nous en offrir autant.

don Pedro passa lentement le bout de son index sur l'arête émaciée de son nez aquilin.

— Ne venez-vous pas, don Hernando, de me vanter la générosité de ces sauvages?

— Certes, général, mais...

— Alors nous aurons vingt cochons. Et pourquoi pas trente?

— Général...

— Le débat est clos sur ce sujet, don Hernando. Ce sera trente cochons. Passons maintenant au principal.

Le général redressa son dos maigre et voûté et prit une voix forte:

— Demain dans la nuit nous réappareillerons, quand nous aurons fait provision d'eau et de viande fraîche. C'est-à-dire, conformément à mes ordres, *trente* cochons. Mais cette île et les sauvages qui l'habitent doivent nous donner plus. Alors je compte sur vous pour que nous détenions à notre bord, demain soir, lors de notre appareillage, trois de ces sauvages – des mâles – que notre vicaire baptisera, catéchisera, instruira enfin, et qui nous seront à la fois des guides et des interprètes dans notre grand voyage.

Je vis les paupières de mon père battre à toute vitesse, seul signe chez lui d'un très grand trouble. Et d'une sacrée colère.

— Général, je me refuse à participer à ce mauvais coup.

Penché sur la table, épaules courbes, don Pedro fit un geste d'apaisement.

— Je comprends vos réticences, don Hernando. Ces sauvages vous ont accueilli favorablement, il est naturel – bien qu'un peu simple – que vous leur en soyez reconnaissant. Néanmoins, n'oubliez pas que vous servez votre Dieu et votre roi.

— N'oubliez pas non plus, ajouta frère Martin qui malaxait ses mains grasses, que les païens que nous emmènerons avec nous, nous les rapprocherons de Notre Seigneur et sauverons leur âme.

— Ce sera un enlèvement. Ni plus ni moins. Une exaction injustifiée.

don Pedro leva la main, une main longue, torse et décharnée, une serre.

— Messieurs, nous participons à la plus vaste aventure du siècle, et peut-être de l'humanité.

Le sort de deux ou trois sauvages ne doit pas menacer le sens profond de notre mission.

Je voyais battre de plus en plus vite les paupières de mon père. J'imaginai avec frayeur le moment où il oublierait tout respect pour le général et, à travers lui, pour le roi et Dieu. Mais il savait aussi bien défendre ses convictions que les exprimer avec la plus apparente courtoisie.

— Général, dit-il d'une voix calme, je suis en désaccord avec vos instructions. Permettez-moi de les juger ignobles. Je me refuse à prêter la main à ces enlèvements.

— Je l'ai compris. *Tout le monde* ici l'a compris. Mais ce ne sont pas des instructions, ce sont des ordres. Et ce ne seront pas des enlèvements, mais une action chrétienne.

— Je vous laisse à votre conscience, général.

don Pedro observa attentivement mon père, puis fit un geste vers l'assistance.

— Quelqu'un ici veut-il se charger de la prise de ces trois sauvages ?

Debout au fond de la cabine, dans le recoin le plus obscur, Felipe n'avait encore rien dit. Dans le silence embarrassé qui suivit (les officiers ne voulaient prendre ouvertement parti ni pour le général ni pour mon père), j'entendis la voix maniérée de mon frère :

— Je suis prêt.

Don Pedro hocha la tête, examinant tour à tour Felipe et mon père. Lequel ne lui accorda pas un regard, ni même à son propre fils aîné.

— Je vous remercie, lieutenant. C'est volontiers, croyez-moi, que je vous accorde ma confiance pour cette mission. Voyons... Il nous faut, dans l'idéal, un enfant d'une dizaine d'années, un adulte et un jeune homme... Avez-vous déjà une idée de ce que vous pouvez faire ?

— Pour le jeune homme, général, je sais qui nous prendrons. Ce sauvage, j'en suis certain, vous plaira beaucoup.

Felipe s'avança dans la lumière des lampes et jeta un coup d'œil de défi vers notre père et moi.

— Je connais déjà son nom : Mehani.

Mon père ferma sa main sur mon bras, si fort qu'il m'en fit mal. Je me tus. Sinon, j'aurais sauté à la gorge de Felipe.

7

Le lendemain, je me levai dès l'aube et montai sur le pont. J'admirai un instant la beauté de l'île dans la lumière d'or rasante du matin. Puis je me mêlai à l'agitation des marins et des soldats qui préparaient le débarquement en grande pompe de don Pedro de Escobar et de frère Martin de Munilla. Les charpentiers clouaient trois hautes croix de bois et les marins mettaient à l'eau plusieurs chaloupes, chamarrant* d'étoffes éclatantes celle où prendraient place le général et le vicaire.

Je savais que mon père ne participerait pas

* Décorer avec des ornements voyants et de mauvais goût.

à ce débarquement solennel. Donc, moi non plus. Je cherchais désespérément un moyen de me glisser tout de même dans une chaloupe quand j'entendis plusieurs marins s'interpeller en désignant la mer.

Une trentaine de pirogues faisaient route vers nos navires.

La veille, nous n'avions vu aucune de ces embarcations, que les indigènes avaient dissimulées dès qu'ils avaient aperçu nos voiles à l'horizon. C'étaient des bateaux d'une remarquable conception, creusés dans le tronc d'arbres immenses. Très effilées, pourvues d'un flotteur à balancier, les pirogues contenaient vingt ou trente hommes pagayant en rythme et elles glissaient sur l'eau à vive allure, sans effort. Bientôt, leur flottille nous entoura. Nous pûmes voir alors qu'il y avait à leur bord autant de femmes que d'hommes, et tous et toutes, rieurs, nous crièrent des mots que nous ne connaissions pas mais dont l'intention amicale ne faisait aucun doute.

Je me mis à leur lancer à mon tour des mots d'amitié, heureux de leur joie enfantine. Puis je me rappelai les intentions de don Pedro de Escobar. Demain, quand, profitant de la nuit, nous ferions voile au large, les insulaires nous maudiraient de leur avoir enlevé un père, un fils, un oncle, un ami ou un fiancé. J'eus honte.

J'avais discuté tard dans la nuit avec mon père. Mais, de quelque côté qu'on abordât l'affaire, nous n'avions pu trouver de solution. Les ordres de don Pedro de Escobar étaient ceux du général en chef de l'expédition, mon père ne pouvait leur désobéir. « Imagine, Diego, que des étrangers accostent chez nous, que nous leur offrions la plus généreuse hospitalité et qu'en remerciement ils repartent le lendemain en t'ayant enlevé. Comment crois-tu que je réagirais lorsqu'un an plus tard ils reviendraient chez moi ? – Vous les combattriez. – Et imagines-tu le chagrin que j'éprouverais ? »

Je ne me sentis plus le courage de feindre l'amitié envers les indigènes. Je m'apprêtais, mortifié, à descendre dans la cabine de mon père, quand Felipe surgit sur le pont et se mit à houspiller l'équipage :

— Retournez à vos postes ! Soldats, avec moi ! Chargez vos arquebuses et tenez-vous prêts à défendre le navire !

Ce petit lieutenant aux moustaches frisées (mon frère !) me parut à ce moment l'être le plus ridicule et le plus méprisable du monde. Je lui criai :

— On dirait que tu illustres un dicton, lieutenant !

Il s'immobilisa et porta compulsivement les doigts à sa moustache.

— Plaît-il ?

— Oui, celui-ci : « La peur est mauvaise conseillère » !

Il y eut quelques rires sur le pont. Felipe rougit, chercha une réplique mais, avant qu'il l'ait trouvée, je me retournai vers la mer et reconnus, dans la pirogue la plus proche du *Los tres Reyes de Mayo*, un ange qui agitait les bras et m'appela :

— Tiko !

En réponse, je levai le bras à mon tour, hurlai :

— Mehani !

Et, sans réfléchir, je sautai du haut du navire.

Aussitôt, Mehani plongea et, Dieu merci, me repêcha. Je n'étais pas très bon nageur. Avec l'aide d'Ohou, il me hissa sur la pirogue, où les femmes m'embrassèrent, me tapotèrent les joues tandis que je crachais toute l'eau que j'avais avalée. Du haut du *Los tres Reyes de Mayo*, Felipe me hurlait de remonter *immédiatement* à bord.

D'un geste, je montrai à Mehani que je voulais me rendre sur son île. La pirogue vira vers la plage.

Felipe glapissait toujours, ses ordres emportés par la brise.

8

— Tu dois te cacher, Mehani. Te cacher. Ca-cher.

Depuis un quart d'heure, j'essayais de lui dire (lui *montrer* serait plus juste) le sort qui l'attendait. En vain. N'avais-je aucun talent pour me faire comprendre par gestes ou bien Mehani était-il incapable d'imaginer que quiconque pût avoir de mauvaises intentions ? Je ne savais pas.

— Te cacher, Mehani. Hop ! Plus personne ! Tu disparais et Felipe ne peut pas t'attraper !

Il riait. Il riait de mes gestes désordonnés, de mes grimaces. De temps à autre, il me tapotait gentiment l'épaule et me faisait signe de me calmer, que tout allait bien, il me désignait les fruits débordant de la panière puis mettait ses doigts devant sa bouche entrouverte et faisait semblant de mastiquer. Il voulait que je mange. Il ne comprenait rien. C'était désespérant.

Soudain, nous entendîmes plusieurs longs appels qui ressemblaient au mélange d'un son de trompette et d'un meuglement de vache. Mehani sauta sur ses pieds et, l'air réjoui, me fit signe de le suivre. Pourquoi, alors que nous nous comprenions si bien, Mehani n'entendait-il pas ce que je voulais lui dire ? En tout cas, il ne fallait pas le quitter d'un pas. Pour pouvoir le défendre.

Je courus derrière lui à travers la forêt. Il s'arrêtait parfois, m'attendait, se moquait de moi quand je trébuchais et me retrouvais le nez par terre. Il riait comme mon éducation espagnole m'avait interdit depuis longtemps de le faire. Il riait comme un enfant, sans méchanceté. Il riait, tout simplement.

Quand nous arrivâmes à l'orée des arbres, la stupéfaction nous arrêta. Sur la plage, devant nous, se déroulait le plus étrange des spectacles.

Des centaines d'indigènes, hommes, femmes, enfants, quasi nus, occupaient tout l'espace de la plage, à l'exception d'un large cercle où s'avançaient don Pedro de Escobar, frère Martin de Munilla et deux autres frères franciscains. Ils s'avançaient lentement, au rythme des trois tambours que des soldats frappaient de leurs baguettes. don Pedro était vêtu en grand apparat, aux couleurs de l'Espagne rehaussées d'or. Les franciscains, dans leur simple aube claire, portaient chacun une lourde et haute croix de bois. Quelques pas devant eux, des marins creusaient trois trous dans le sable.

Les franciscains y fichèrent leurs croix, avec l'aide des marins – et l'une, dans une assise si peu stable, menaça de tomber. Quand les croix tinrent debout, don Pedro s'agenouilla au pied de la plus haute. Frère Martin de Munilla prononça quelques paroles à la gloire de Dieu et de « cette nouvelle terre passant sous Sa juridiction ». À son imitation, tous les marins et les soldats se signèrent.

J'assistai alors à cette chose étrange : les indigènes à demi nus se signèrent à leur tour. Et, quand don Pedro posa ses lèvres sur la croix et l'embrassa, le cacique et quatre ou cinq hommes s'approchèrent des croix et les embrassèrent eux aussi, plusieurs fois, sous le regard effaré du général et du vicaire. Couvrant la maigre voix des franciscains, la foule se mit à chanter, se précipita en désordre sur les croix, et chacun voulut les embrasser, et tous se bousculaient, ils riaient, c'était un jeu : qui, le premier, embrasserait ces bouts de bois comme l'étranger à la parure rouge et d'or l'avait fait ? Je ne savais pourquoi, j'avais envie de rire moi aussi.

Puis Mehani cria. Je me retournai. Trois soldats se jetèrent sur lui et le plaquèrent au sol. Tout près, à ma gauche, grimaçant comme un diable : Felipe. Je n'eus pas le temps de réagir. Deux soldats me ceinturèrent, me ligotèrent les poignets et me poussèrent vers mon frère, tandis que les autres entraînaient Mehani dans la forêt.

Felipe me toisa en se frisant la moustache.

— Petit frère, tu ne te moqueras plus de moi. Plus jamais.

Je lui aurais volontiers craché au visage. Mais on me bâillonna.

Nous rejoignîmes une dizaine d'autres soldats qui nous attendaient à couvert. Sur un ordre bref de Felipe, la troupe prit le chemin des premières habitations. Je fus contraint de leur emboîter le pas.

Toutes les cases étaient désertes. Les indigènes s'étaient rassemblés sur la grande plage où se déroulait la cérémonie présidée par Pedro de Escobar et frère Martin. Et, tandis qu'ils chantaient et embrassaient les trois hautes croix de bois, tandis qu'Escobar leur tenait un discours auquel ils ne comprenaient rien mais dont ils appréciaient le rythme et la conviction, tandis que les franciscains commençaient à baptiser les plus dociles et les plus amicaux d'entre eux que ce rituel d'aspersion et de signes de croix tracés dans l'air amusait prodigieusement, les soldats du lieutenant Felipe de Torre Santo, mon propre frère, se mirent à piller leur village.

Ils assommèrent et emportèrent tous les cochons qu'ils trouvaient, s'emparèrent des panières de fruits et de tubercules entreposées dans la fraîcheur de l'ombre. Ils ne laissèrent que ce qu'ils ne pouvaient pas emporter. La razzia dura plus de deux heures, sous les ordres aboyés par Felipe :

— Plus vite ! Plus vite ! Prenez tout, tout ! N'oubliez pas un seul cochon !

Nous retraversâmes la forêt, en direction de l'ouest. Là, sur une petite plage de sable noir, cinq chaloupes nous attendaient. Les soldats y répartirent leur butin, les mirent à l'eau et embarquèrent. Il leur fallut souquer dur pour franchir les vagues déferlantes de la barrière de corail ; les chaloupes étaient si lourdement chargées qu'elles menaçaient de couler à tout moment.

Lorsque nous parvînmes sur une mer plus étale, mon frère se pencha vers moi et m'arracha le bâillon.

— Tu vois, petit frère : j'ai exécuté les instructions de notre général. Sais-tu pourquoi ? Parce que je l'ai choisi pour père comme ton père t'a choisi pour fils.

J'avais la bouche sèche, les lèvres craquelées. Mais je trouvai encore assez de salive pour murmurer :

— Je te méprise, petit lieutenant.

Et je lui crachai enfin au visage.

Felipe blêmit, essuya le crachat du bout des doigts et m'assomma d'un coup de poing.

Deuxième partie
L'incendie

I

Quand je m'éveillai, il faisait nuit. J'avais très mal à la tête. Je me redressai.

— Tu te sens mieux?

Peu à peu, mes yeux s'accoutumant à la pénombre, je distinguai la silhouette de mon père, assis dans un fauteuil.

— Tu n'aurais pas dû faire ce que tu as fait.

Je m'assis au bord du lit, me massai la mâchoire.

— Mais, ajouta-t-il, si je n'approuve pas ton acte, j'en approuve l'intention.

— Merci, murmurai-je.

J'avais du mal à articuler.

— Cela dit, reprit-il, ai-je le droit d'approuver une intention qui s'est traduite par un acte imbécile ? Et pour quel résultat ? Le jeune Mehani est enchaîné dans la cale, tu t'es fait assommer et nous sommes tous deux consignés dans cette cabine jusqu'à nouvel ordre.

— Excusez-moi, père…

— Bois un peu d'eau, il y en a sur la table, et cesse de t'excuser.

Je me levai, en titubant, atteignis la table où je trouvai une carafe d'étain. J'y bus longuement. Mon mal de tête s'apaisa.

— Vois-tu, dit l'ombre de mon père du fond de son fauteuil, j'ai imposé ta présence sur ce navire pour que ta vie commence par une grande aventure. Et, finalement, je suis assez satisfait de toi : tu as pris en main cette aventure, tu l'as faite tienne. Il est vrai que, pour l'instant, elle commence par une défaite.

— Où est Mehani ?

— Je te l'ai dit : enchaîné dans la cale, en compagnie d'un enfant et du cacique. Ton frère a fait un excellent travail de sbire*.

Je sentis alors le navire bouger. J'entendis des appels, là-haut, sur le pont. Et le bruit

* Homme de main sans scrupule.

rythmé, profond, de la chaîne d'ancre qu'on remonte.

— Père, nous appareillons !

— Oui. Nous partons comme des voleurs. Des voleurs d'hommes et d'enfant.

— Il faut faire quelque chose !

— Je ne peux pas, Diego. Mon devoir est d'obéir à notre roi et à l'Église. C'est-à-dire à don Pedro de Escobar et à frère Martin de Munilla.

— Leurs ordres sont ignobles ! Vous l'avez dit vous-même !

— Je n'aurais pas dû. J'ai prêté allégeance à don Pedro. Je ne peux, en conscience, aller contre ses ordres s'ils ne vont pas contre les instructions du roi.

— Mais, père… Et Mehani ?

— Calme-toi et écoute : tu es ici en qualité d'invité, tu n'as prêté allégeance à personne.

— Vous voulez dire que… ?

— Oui.

— Alors… Alors je peux délivrer Mehani ?

— Tu peux le tenter. Tu es, de nous tous, le seul libre de ta conscience. Si elle te dit que tu dois délivrer ce jeune homme, obéis-lui.

— Merci, père.

Je me jetai à la porte de la cabine. Elle était

fermée à clé. J'entendis le rire fatigué de mon père.

— Difficile d'être libre, n'est-ce pas ?

Tout à coup, il se dressa hors du fauteuil, fut près de moi en quelques pas et me tendit une clé.

— J'ai l'ordre de ne pas quitter cette cabine, donc de ne pas utiliser cette clé. Mais je crois qu'on ne t'a pas transmis cet ordre. Je me trompe ?

J'empoignai la clé. Je ne savais que dire pour remercier mon père. Qui n'attendait sans doute aucun mot de ma part, mais des actes. J'ouvris la serrure, entrebâillai la porte, lui rendis la clé. Il me posa la main sur la nuque.

— Fais ce que tu dois faire.

2

Je me faufilai dans les coursives. Heureusement, il n'y avait personne : tous les hommes étaient là-haut, à la manœuvre. J'escaladai silencieusement l'échelle qui menait sur le pont. Un coup d'œil à droite, un coup d'œil à gauche : une partie de l'équipage, aux cabestans, halait les ancres, l'autre hissait les voiles.

Il faisait nuit noire. Pas d'étoiles.

Je courus jusqu'à la trappe ouvrant sur la cale. Personne ne me vit, ou ne fit attention à moi. J'arrachai la carotte de bois bloquant la trappe et m'enfonçai dans les profondeurs du navire.

Je n'avais jamais mis les pieds dans cette partie du bateau. Je fus saisi aussitôt par la forte odeur de viande salée montant de l'obscurité: c'est là qu'on entreposait les vivres du voyage. Dans le noir, me fiant à la sûreté de mes mains et de mes pieds, je trouvai mon chemin parmi les tonneaux et les sacs. Le navire craquait de toutes ses membrures.

Tout à coup, des ombres douces, furtives, me frôlèrent les chevilles. Des rats. J'eus peur.

Je faillis perdre l'équilibre lorsque le navire vira de bord, soudain chassé par la brise du large. Je me raccrochai à je ne sais quoi, le souffle oppressé, et voulus renoncer. Je me rappelai les derniers mots de mon père: «Fais ce que tu dois faire.» J'inspirai très fort. De l'air, du courage. Je repris ma marche dans le noir.

La porte qui m'arrêta était, elle aussi, fermée d'une simple carotte de bois fichée dans l'anneau de la serrure. Je l'ouvris sans peine, tâtonnai puis murmurai:

— Mehani?

Il y eut un bruit sur ma droite, un raclement de planche. Je répétai:

— Mehani?

Vivement, un peu au hasard, j'avançai vers la droite, et tout à coup rencontrai un corps vigoureux qui m'enserra dans ses bras et commença à m'étouffer.

— Me… ha… ni… parvins-je à souffler.

Les bras me relâchèrent, je me remis à respirer, des mains me tâtèrent les épaules, le dos, le visage.

— Tiko ?

— Oui. C'est moi. On s'en va. Viens.

Je savais que Mehani ne comprenait pas ma langue, mais j'espérais cette fois qu'il comprendrait mes intentions. Je l'entendis parler très vite, avec conviction, puis une voix, qui était celle du cacique, lui répondit, et celle, reniflante, d'un enfant.

— Il faut partir. Vite. On a juste le temps.

La main de Mehani trouva la mienne dans l'obscurité. Il la serra et l'agita trois fois. J'y déchiffrai ce message : nous te faisons confiance, nous te suivons.

Pendant tout le trajet de retour, Mehani ne me lâcha pas la main et je supposai qu'il tenait aussi celle du cacique qui, lui-même, tenait celle de l'enfant.

Nous parvînmes rapidement jusqu'à l'échelle. La lueur de la lune tombant par la trappe me permit enfin de deviner mes compagnons. En quelques gestes, j'essayai de leur faire comprendre qu'ils devraient se taire, être rapides.

Ensuite, je comptai sur mes doigts jusqu'à

trois, tendis violemment le bras, imitai une course puis un plongeon. Ils ne tenteraient l'évasion que lorsque j'aurais dit « trois », après...

— Après on verra bien, dis-je parce que je ne savais pas le mimer.

J'escaladai l'échelle, soulevai légèrement la trappe, inspectai le pont du regard : les ancres étaient levées, l'équipage étarquait les voiles.

Au beau milieu du pont, Felipe, mon cher frère, campé sur ses jambes, surveillait la manœuvre en se frisant la moustache. Tant pis.

Je levai le pouce vers mes compagnons :

— Un.

Puis l'index :

— Deux.

Et le majeur :

— Trois !

J'ouvris la trappe en grand. Accroupi au bord, j'attendis que Mehani ait aidé le cacique et l'enfant à s'extraire de la cale, et qu'il se soit hissé à son tour à l'air libre.

— Allez... chuchotai-je.

Et nous filâmes, presque à quatre pattes, vers la lisse bâbord du navire.

Elle était là, à deux mètres à peine, quand la voix détestée de Felipe hurla dans la nuit :

— Alerte ! Aux arquebuses ! Les prisonniers s'échappent !

Je m'arrêtai net, poussai de la main le cacique et l'enfant à poursuivre leur fuite, les vis bondir par-dessus le plat-bord et entendis, un instant plus tard, le bruit de leur plongeon.

Mehani n'était pas là.

— Mehani !

À peine avais-je crié que je le vis, ses larges épaules se découpant contre le ciel de nuit : il se jetait sur Felipe.

La lutte fut brève. Mehani se contenta de frapper des deux mains à plat sur la poitrine de mon frère, ce qui le projeta en arrière de deux ou trois mètres. Après quoi, il le gifla à tour de bras, jusqu'à ce qu'il tombe. À vrai dire, quatre gifles suffirent à mettre Felipe hors de combat.

Des soldats et des marins se précipitaient, déboulant de toutes parts. Mon frère était étendu sur le pont, Mehani l'enjamba, écarta les hommes qui tentaient de se saisir de lui, cria : « Tiko ! » et plongea par-dessus le plat-bord.

Plusieurs marins et soldats me maîtrisèrent. Je me débattis, sans conviction. J'avais perdu – perdu un ami que je ne reverrais pas. Mais j'avais gagné – j'avais rendu à mon ami sa liberté.

3

— Lâchez mon fils.

Sur-le-champ, je sentis la poigne des soldats se desserrer.

Mon père était là, à quelques mètres, les mains derrière le dos, solide sur ses jambes de cavalier. Il n'avait pas élevé le ton.

— Monseigneur, dit enfin un sous-officier, monsieur votre fils a fait évader les prisonniers.

— Les prisonniers ? Quels prisonniers ?

— Les sauvages, monseigneur, vous savez bien…

— Comment ? Les catéchumènes* de frère Martin ?

* Personne à qui l'on apprend les Évangiles et la doctrine catholique avant de la baptiser.

Mon père avait pris une voix grondante, théâtrale, et avançait sur le groupe de soldats m'encerclant.

— Tu as osé, scélérat ?

Il tira son épée, la brandit au-dessus de sa tête. Les soldats reculèrent avec un murmure de frayeur.

— Tu as osé soustraire ces païens à la charité de notre vicaire, à la bonté de notre général ? Laissez-le-moi ! cria-t-il. Je vais punir moi-même son audace !

Son épée moulinait. Il était à une portée de lame des soldats, qui n'hésitèrent plus, me relâchèrent et refluèrent hors d'atteinte.

— Scélérat ! tonna mon père en fondant sur moi.

Et, se penchant soudain à mon oreille, il souffla :

— Fuis... Tu n'as plus d'autre choix.

Puis, d'une voix de stentor :

— Je te châtierai moi-même !

Son épée traça de larges cercles qui sifflèrent au-dessus de ma tête. Je fis mine d'avoir très peur, m'accroupis, et, d'un bond de grenouille, me jetai en avant, roule-boulai, me retrouvai contre la lisse tribord.

— Mauvais fils ! hurla mon père.

— Je le tiens !

C'était Felipe. Revenu de son étourdissement après la râclée infligée par Mehani, il avait découvert ce spectacle inattendu : son père hors de lui et, qui plus est, *s'en prenant à moi*. Il ne réfléchit pas. Il crut tenir sa revanche.

À l'instant où ses mains allaient m'agripper, mon père abattit son épée en s'écriant :

— Je vais te tailler une oreille !

La lame me siffla en effet à l'oreille mais ne me toucha pas : elle cingla, du plat, à toute volée, les doigts de Felipe qui poussa un piaillement de surprise et de douleur.

Il n'était que temps. J'enjambai prestement le plat-bord, pris une profonde inspiration, et bondis dans le noir et les vagues de l'océan.

J'eus le sentiment de voler, suspendu dans le vide, puis je heurtai l'eau de plein fouet, suffoquai, battis des pieds et des bras, je n'avais plus d'air, je n'avais plus d'air ! Brusquement j'émergeai, je mouchai, crachai, toussai, et quand j'y vis à nouveau clair, je reconnus la poupe et la voilure du *Los tres Reyes de Mayo* et des deux autres navires déjà distants d'une bonne encablure. Au ciel : des millions d'étoiles. J'étais perdu.

4

Combien de temps ai-je nagé ? Je ne le sus jamais. D'ailleurs, je ne nageais pas vraiment : je flottais, je surnageais, je tentais coûte que coûte de me maintenir à la surface.

L'océan était calme, à peine agité d'une houle lente. À chaque fois qu'elle me soulevait, j'apercevais la silhouette de l'île, découpée contre le ciel brillant d'une nuit claire.

Une silhouette de plus en plus noire, de plus en plus vaste.

C'était bon signe, signe d'espoir, signe que je m'en rapprochais. Mes bras, mes jambes étaient de plus en plus fatigués, de plus en plus gourds. Jamais je n'aurais la force d'atteindre le rivage.

Je n'y serais sans doute pas parvenu si je n'avais eu la chance de mon côté. Alors que j'arrivais à la limite de l'épuisement, je heurtai, redescendant dans un creux de la houle, un objet dur et lourd. Je m'y raccrochai maladroitement. C'était une grosse branche où tenaient encore quelques feuilles. Je me hissai à demi hors de l'eau et restai un moment sans bouger, si soulagé et si fatigué que je m'assoupis presque aussitôt.

Je m'éveillai en suffoquant. J'avais glissé à l'eau. Affolé, je tendis les bras, retrouvai la branche par miracle et m'y hissai à nouveau. Je cherchai des yeux la silhouette de l'île : elle était derrière moi. Je ne m'en étais que très peu éloigné. Alors je forçai mes jambes à se mouvoir, à accomplir le mouvement qui m'amènerait peu à peu vers la rive.

L'île ne me semblait qu'à quelques encablures. Je mis très longtemps à m'en rapprocher. Était-ce parce que la nuit, en mer, il est difficile d'évaluer les distances ? Ou bien parce que j'étais à bout de forces ? Peu importe. J'avançais.

Quand je dus franchir les déferlantes de la barrière de corail, je me battis de toute mon énergie pour ne pas être sans cesse repoussé vers le large. Je finis par abandonner la branche et par jeter mes dernières forces dans la fureur des vagues. Je nageai, nageai, nageai, crus me noyer dix fois et soudain… je me retrouvai au-delà de la barrière de corail, dans une étendue calme comme un lac.

Peu après, mes pieds touchèrent le fond de sable, je me redressai avec peine et j'avais tant nagé que j'eus l'impression étrange que mon corps ne savait plus marcher. Pourtant je marchai, de l'eau jusqu'à la poitrine, puis jusqu'au ventre, aux hanches, aux genoux enfin. Quelques pas. Et la terre ferme, le sable sec. J'entendais mon cœur battre un rythme de tambour. J'essayai de me traîner jusqu'aux arbres.

Je perdis lentement conscience.

J'étais évanoui quand je m'effondrai sur la plage.

5

Des rires. Des murmures...

Dans mon rêve, je nageais, me débattais contre de puissantes vagues de fond, une mer déchaînée, un tumulte de tempête.

Des rires résonnèrent au milieu du fracas de l'ouragan, des rires grêles, des rires frais... Je songeai : « Des sirènes... »

Autour de moi, tout s'apaisait lentement. Le bruit des vagues décroissait, laissant place à ces rires, à des murmures, des murmures de rêve, dans une langue inconnue, et douce. « Les sirènes... » bredouillai-je encore.

Je m'étais noyé, ces rires, ces murmures m'attiraient vers le fond, vers les abysses. Je n'avais plus envie de me débattre. J'étais trop fatigué.

Ces rires semblaient si agréables, si tranquilles après tant de combats contre les éléments. Je me laissais couler.

Mais… où étaient-elles ? Où étaient celles qui riaient comme des enfants ?

J'ouvris les yeux.

Je ne vis d'abord qu'un éblouissement.

Je refermai aussitôt les paupières. Je bougeai les mains. Je pouvais bouger les mains. Et, sous mes doigts, cette poudre sèche et tiède…

Du sable ?

Je rouvris les yeux, avec précaution, alors que les rires fusaient à nouveau. Du sable, oui… Une plage… J'étais allongé sur le ventre, la joue dans le sable.

Lentement, je roulai sur le côté. Tout mon corps était lourd de fatigue et de sommeil. Je sentis enfin la chaleur du soleil. Il faisait déjà chaud.

J'aperçus d'abord des genoux, couleur de pain frais, à demi enfoncés dans le sable tout près de moi. Puis l'étoffe rouge d'une sorte de jupe – une étoffe que je reconnus tout de suite : elle avait été la chemise d'un marin du *Los tres Reyes de Mayo*.

Ensuite, mes yeux remontèrent et trouvèrent deux jeunes seins, à peine éclos, mais déjà ronds.

Gêné, je me passai la langue sur les lèvres. Elles étaient sèches, craquelées, avaient un goût de sel. Je me redressai sur un coude et me forçai à chercher un visage, au-dessus de ces seins. Le soleil me brûla les yeux. Je refermai vivement les paupières.

Quelque chose se posa avec douceur sur mon poignet. Une main. J'entendis des mots, des mots incompréhensibles. Ce que je compris, ce fut le ton de la voix : un ton pressant, une voix de toute jeune fille. Je levai la main en visière au-dessus de mes yeux, que je rouvris peu à peu.

La première chose qui me vint à l'esprit, c'est que cette fille devait avoir mon âge et ressemblait à Mehani. Un Mehani qui aurait porté les cheveux longs jusqu'aux reins, serait mince comme un enfant et froncerait les sourcils et les lèvres avec colère.

La fille fit un geste gracieux et impérieux à la fois en me désignant la mer, le soleil puis quelque chose derrière moi, et se mit à parler à toute vitesse en agitant les mains et en secouant la tête.

Je l'observai un moment, sans réagir. Elle était très jolie, elle était très bavarde et je ne m'étais pas noyé.

Je serais resté longtemps ainsi à la contempler et à savourer ma chance si la jeune fille ne m'avait attrapé soudain par l'épaule et secoué en me montrant encore, encore et encore la mer, le soleil et, derrière moi, quelque chose vers quoi je finis par me tourner.

Il y avait là deux autres jeunes filles, moins belles selon mon goût que la première : plus rondes, plus musclées, plus grandes. Machinalement, je leur dis :

— Bonjour…

Elles pouffèrent en se plaquant la main sur la bouche. Je leur souris.

Leur comportement me rassurait : elles se conduisaient comme mes cousines, à Barcelone, le même rire et la même mimique idiote chaque fois que je leur adressais la parole.

La main de la première fille me secoua de plus belle. Elle persistait à me désigner quelque chose, au loin.

Derrière les deux rieuses, il y avait une forêt dense d'arbres à palmes. Bien. Que pouvait-elle me dire ? Qu'il faisait trop chaud sur la plage, que je devrais se mettre à couvert sous les arbres ? D'accord. Bonne idée. Mais pourquoi tant s'énerver ?

— Tu as raison, articulai-je maladroitement.

Mes lèvres étaient sèches comme du parchemin et ma langue lourde comme une pierre.

— Je vais aller à l'ombre.

Je commençai à me mettre debout. C'était un supplice. J'avais mal dans tous les membres, et dans le dos, et dans les reins. La jeune fille m'empoigna sous l'aisselle et, avec une force inattendue, m'obligea à me redresser.

— Merci.

Je lui souriais mais elle fronçait toujours les sourcils et tordait les lèvres comme un acteur de tragédie. Interloqué, je haussai les épaules, écartai les mains.

— Qu'est-ce que j'ai fait ?

Elle tapa du pied dans le sable, exaspérée, m'attrapa violemment le coude et tendit le doigt.

Je plaçai à nouveau ma main en visière pour me protéger de l'éblouissement du soleil et de la plage blanche. Résigné à n'y rien comprendre, je regardai au-dessus des arbres.

Une épaisse colonne de fumée noire montait vers le ciel bleu et les gros nuages paisibles de l'océan.

6

Dès que nous eûmes atteint la forêt, les trois filles m'entraînèrent avec autorité vers un ruisseau. Je n'eus pas besoin qu'on me mime ce qu'on attendait de moi.

Je bus longuement dans le fil du courant, m'aspergeai d'eau fraîche et douce. Quand je me relevai, je me sentais à nouveau moi-même : un garçon de quatorze ans, aguerri depuis sa toute petite enfance aux exercices physiques, épée, cheval et combat corps à corps. Je souris d'aise et de contentement.

Les deux filles musclées pouffèrent, l'autre eut une grimace d'agacement, me prit la main, me cria une phrase apparemment peu aimable et je compris que je ferais mieux de la suivre.

Nous avons couru, à petites foulées, parmi les arbres et la végétation.

J'essayais de ne perdre de vue ni les filles qui me distançaient facilement, ni mes pieds qui trébuchaient tout aussi facilement sur la moindre racine. Je m'essoufflais assez vite, mais refusais de l'admettre, surtout quand les deux filles musclées se retournaient et, à me voir si maladroit, pouffaient. À part moi, je les baptisai donc « les pouffeuses ». Vengeance médiocre. Je savais que je ferais mieux de regarder où je posais les pieds.

Un quart d'heure plus tard, la forêt s'éclaircit. Je reconnus, au-delà des arbres, une habitation. L'enclos était vide. Je savais pourquoi : Felipe et ses hommes en avaient volé les deux cochons.

Les pouffeuses s'immobilisèrent, se tapirent derrière le tronc d'un arbre énorme. Je les imitai.

L'autre jeune fille, lentement, avec précaution, entra dans la clairière. Elle inspecta du regard les alentours, puis courut jusqu'à l'habitation. Elle y entra.

Peu après, elle en ressortit, un fruit dans la main. Elle nous rejoignit, les pouffeuses et moi, et me tendit le fruit.

— J'ai compris, dis-je aussitôt. Ne recommence pas à te fâcher.

J'acceptai le fruit et me mis à le manger. C'était étrange, cette sensation à la fois de reprendre des forces et d'être surveillé à chaque bouchée. Elles étaient là, toutes les trois, à m'observer comme si j'accomplissais un acte magique.

Quand j'eus terminé, les pouffeuses pouffèrent, de satisfaction.

L'autre jeune fille, déjà, se détournait vers la clairière. Je la saisis par le poignet. Elle essaya de se dégager, et je ne fus pas mécontent de lui montrer que j'étais au moins aussi fort qu'elle. Lorsqu'elle eut renoncé à se libérer, je lui souris, la regardai dans les yeux, la trouvai décidément très jolie, et me frappai la poitrine en disant :

— Tiko. Je m'appelle Ti-ko.

Elle hocha la tête et agita doucement son poignet prisonnier.

— Comme tu veux, dis-je en la relâchant.

Elle me dévisagea un instant, hocha encore la tête, sérieuse, et, frappant des doigts entre ses jolis seins nus, elle dit :

— Itia.

— Bien… Itia, répétai-je. Très joli nom. Itia. Tiko. Itia. Tiko. Itia.

Je me touchais la poitrine («Tiko») et, intimidé, arrêtais mes doigts quelques centimètres avant celle de la jeune fille («Itia»).

Je tendis les mains vers les deux pouffeuses.

— Et vous ?

Bien entendu, elles pouffèrent.

Itia, agacée, leur flanqua des semblants de gifles sur les épaules et les avant-bras en prononçant à toute vitesse des phrases au ton menaçant mais qui les firent pouffer de plus belle avant qu'elles se décident à se présenter :

— Omaata, dit la première, soudain sérieuse.

— Fahina, dit la seconde, tout aussi sérieuse.

Après quoi, elles redevinrent elles-mêmes : elles pouffèrent.

7

Itia courait devant, sans jamais s'essouffler. Sur ce terrain plus dégagé, je parvenais à la suivre sans problème, encadré d'Omaata et de Fahina. J'évitais de les regarder, de peur qu'elles ne pouffent.

Avant de parvenir à la six ou septième habitation, nous commençâmes à sentir une âcre odeur de fumée. Et quand Itia s'arrêta net, et que, surpris, je faillis la bousculer, nous avons su d'où partait cette fumée.

De l'habitation, il ne restait que des bûches calcinées, dont certaines rougeoyaient encore.

Je reconnus le triple sentier grossièrement pavé qui y convergeait : deux jours plus tôt, j'avais mangé là du cochon grillé et des fruits, essayé de converser avec Mehani. C'était la case du cacique. Elle avait flambé. Par chance, elle se dressait dans une clairière, l'incendie ne s'était pas propagé aux arbres les plus proches, épargnant la forêt.

Quand Omaata se mit à pleurer, je lui posai doucement la main sur la nuque. Et la retirai aussitôt. Je n'osai pas la regarder en face quand elle me rendit ma caresse amicale.

Elle traversa l'enclos détruit, enjamba les restes de cloisons noircis et, s'agenouillant au centre du plancher encore intact, y souleva une trappe. Elle se pencha dans l'ouverture.

Elle en tira deux lances, deux arcs et un boisseau de flèches.

À Itia, elle tendit l'un des arcs et une poignée de flèches. Ensuite elle s'approcha de Fahina et moi qui attendions, côte à côte. Elle nous examina un long moment, l'un après l'autre.

Elle se décida : à Fahina elle donna la lance ; à moi, l'arc et les dernières flèches.

***

Toutes les habitations avaient été incendiées.

Plus nous courions, plus nous nous rapprochions des incendiaires.

Les cases brûlaient encore, avec de grands craquements de bois sec, des gerbes d'étincelles, une fumée de plus en plus noire, étouffante. Les arbres les plus proches des lisières avaient pris feu, élevant des palmes de flammes jaunes et rouges.

C'est alors que nous avons découvert les premiers morts.

Trois femmes, deux enfants, égorgés ou éventrés.

Leurs corps gisaient en travers du sentier. Bouleversé, je voulus m'agenouiller près du cadavre d'un enfant, mais Itia me prit par l'épaule et, le visage fermé, buté, m'intima de poursuivre ma route.

***

Je courais derrière Itia. Je ne pensais à rien. Je serrais l'arc dans ma main gauche, les flèches dans ma main droite. Je n'attendais qu'une chose : rattraper enfin les incendiaires et les abattre d'un trait comme, en Catalogne, on m'avait appris à tirer sur les lièvres, les oiseaux et des cibles d'osier. À mes côtés, Omaata et Fahina couraient aussi, chacune portant une lance.

Il nous fallut regagner la forêt pour passer à l'écart des incendies. Je ne me préoccupais plus de mes pieds : soudain ils trouvaient tout seuls le pas juste pour éviter les pièges du sous-bois. Je ne quittais pas des yeux le dos mince d'Itia, ses talons frappant le sol au rythme de la course.

Quand elle se jeta à plat ventre, je m'y jetai aussi. Sans réfléchir. Je rampai prestement jusqu'à son côté.

— Qu'est-ce qui se passe ?

La question était inutile.

Je repérai, à cinquante pas en amont, une dizaine de soldats du *Los tres Reyes de Mayo*. La moitié d'entre eux portaient des torches.

À leur tête, le lieutenant Felipe de Torre Santo.

Mon frère, écarlate, en sueur, la moustache en bataille, hurlait :

— Allez, allez ! Tue ! Tue ! Tue !

Plus haut, là où la forêt s'éclaircissait, deux indigènes brandissaient des javelots.

— Tue ! Tue ! Tue ! Allez ! ALLEZ !

Felipe excitait ses soldats contre les deux hommes. Mais lui ne bougea pas. Adossé à un tronc d'arbre, moulinant de l'épée, il envoyait sa troupe à l'assaut.

Itia se redressa, mit un genou en terre, ficha une flèche dans l'arc, qu'elle banda.

Je l'imitai.

La légèreté et la tension équilibrée de mon arme me surprirent. Bel arc, pensai-je. Mais c'est sans y penser, ce fut comme une action naturelle que je visai mon propre frère, dont juste un profil et l'épaule émergeaient de l'abri du tronc d'arbre.

J'ouvris les doigts. La flèche fila – un éclair. Elle se ficha dans la joue de Felipe.

— Joli coup, dis-je alors même que je comprenais avoir commis une erreur. Mon père et mon maître d'armes me l'avaient seriné depuis que j'avais sept ans : « Gagner la bataille, c'est tuer le chef ennemi. Le blesser, c'est la perdre. »

Le cri de bête blessée, surprise, que poussa Felipe quand la flèche lui traversa la joue enraya l'assaut de ses hommes.

Les soldats s'arrêtèrent, se retournèrent, virent quatre têtes dans les buissons : trois filles très jeunes et moi. Sans doute reconnurent-ils pour la plupart le cadet des Torre Santo. Mais tous savaient qu'il s'était noyé la nuit précédente. Aucun n'aurait admis que son fantôme les prenne à revers en compagnie de trois sauvagesses.

J'étais un diable. Une créature d'outre-tombe suscitée par les indigènes.

Apeurés et prêts à tout, ils se précipitèrent sur ces trois filles et ce spectre.

Je les vis dévaler la pente, hurlant, l'épée haut levée. Je reconnus parmi eux des hommes avec lesquels j'avais discuté, ou échangé trois mots, durant les cinquante-deux jours de la traversée : Pablo, et ses trois filles qui l'attendent à Barcelone, et cette grimace d'assassin en dévalant vers moi... Paco, qui avait toujours une histoire drôle à raconter, et maintenant ses yeux injectés, son hurlement de fou... Jaume, Jaume le chanteur, qui nous faisait oublier la soif et le désespoir en quelques notes, Jaume va m'égorger...

Les lances d'Omaata et de Fahina s'enfoncèrent dans la poitrine de Pablo et le ventre de Jaume. La flèche d'Itia perça la gorge de Paco.

Les deux indigènes, en surplomb, lancèrent leurs javelots : deux autres soldats furent tués.

Alors les rescapés s'égaillèrent en désordre.

Itia, Omaata et Fahina chantèrent leur joie.

J'engageai une flèche sur mon arc. Je me précipitai vers l'arbre où Felipe se cachait.

Je ne trouvai que quelques gouttes de sang et, au pied de l'arbre, une molaire brisée. Mon frère avait disparu.

8

— Timi.

Itia me désignait le plus grand des deux jeunes guerriers.

— Mehoro, dit-elle en me montrant le second, plus petit et plus mince.

Ils n'eurent pas de réaction. Ils se tenaient côte à côte, portant chacun dans le poing droit les javelots qu'ils avaient arrachés du corps des soldats. Je ne reconnaissais pas, dans leurs visages fermés, les indigènes rieurs et amicaux qui m'avaient accueilli deux jours plus tôt.

Je me frappai la poitrine et prononçai mon nom en langue de Hao:

— Tiko.

Je levai la main en signe de paix. Lever une main ouverte et vide, c'est montrer qu'on n'a pas d'arme, pas d'intention mauvaise.

En guise de réponse, Mehoro brandit deux fois son javelot au-dessus de son épaule et, s'adressant à Itia, lui tint un discours rapide et furieux.

Au fur et à mesure qu'il parlait, Itia fronçait les sourcils. Elle se mit à secouer la tête. Brusquement, tapant un coup de talon au sol, elle interrompit le jeune guerrier et commença à lui crier après. Il cria à son tour. Ils avancèrent d'un pas l'un vers l'autre. Mehoro projeta vers elle son poing armé du javelot. Elle projeta vers lui son poing armé d'un boisseau de flèches.

Je me dis qu'ils étaient en train de s'insulter et que la cause de leur dispute, probablement, c'était moi. Moi, l'Espagnol. Le compagnon des incendiaires, des assassins.

Hors de lui, Mehoro se jeta en avant, repoussa Itia qui perdit l'équilibre et alla heurter le tronc du grand arbre. Il leva son javelot.

« Il va me tuer », songeai-je sans pourtant bouger d'un pas. Je fis face au jeune guerrier et attendis que l'arme me transperce.

— Mehoro !

C'était Omaata.

Elle se précipita devant moi, me protégeant de son large corps musclé. À son tour, elle se mit à parler très vite, les mots se bousculant de colère. Mehoro hésita, abaissant lentement le javelot. Sans cesser de parler, Omaata se retourna, m'attrapa la main, m'ouvrit les doigts de force, y prit ce que je tenais et, l'offrant dans sa paume ouverte, alla le mettre sous le nez de Mehoro.

Le jeune homme, décontenancé mais tâchant de garder sa dignité (il fronçait terriblement les sourcils), jeta un coup d'œil dans la main d'Omaata (ses sourcils se défroncèrent un peu) et, de deux doigts, délicatement, y cueillit ce qu'elle lui tendait.

Une dent. Une molaire. Celle de mon frère Felipe.

Les sourcils de Mehoro se défroncèrent tout à fait. Il posa une question et, quand Omaata lui eut répondu, il se mit à rire.

Un rire de la même intensité que sa fureur.

Je n'en revenais pas. Ce jeune guerrier passait dans l'instant d'un sentiment à l'autre. Comme s'il ne connaissait pas l'orgueil d'avoir raison à tout prix. Riant, il montrait qu'il s'était trompé.

Il planta son javelot en terre et, désarmé, s'approcha de moi. Il me prit dans ses bras, me souleva, m'étouffa à moitié, selon la coutume, me claqua les épaules, me reposa au sol, me prit la main droite et y déposa la dent de Felipe – la molaire, en quelque sorte, de notre alliance.

Je serrai la dent dans mon poing et posai la question que j'avais en tête depuis que nous courions dans la forêt :

— Mehani ? Où est Mehani ? Me-ha-ni, articulai-je pour être sûr d'être compris.

Ils se regardèrent, discutèrent, Timi prenant longuement la parole. Ils hochèrent la tête, et finalement Mehoro se tourna vers moi.

— Mehani, dit-il.

Puis il mima un arc qu'on bande, mima une course en zigzag et tout à coup me tendit un poing sous le nez.

— Mehani, répéta-t-il.

J'en conclus que Mehani était vivant et combattait.

Puis, sans autre commentaire, Itia et Mehoro organisèrent une guerilla.

Itia et Mehoro ouvraient la route, Fahina et Omaata m'encadraient, Timi forma l'arrière-garde.

Je me sentais un peu humilié : je me serais plutôt imaginé marchant à l'avant aux côtés de Mehoro, protégeant les trois filles. Mais je ne discutai pas. Si Mehoro acceptait qu'Itia avance en tête auprès de lui, c'est que sur l'île de Hao, sans doute, les jeunes filles savaient se défendre elles-mêmes. Je ne connaissais Itia que depuis une heure environ, mais n'avais désormais aucun doute à ce sujet.

Je pris cependant une initiative : deux des soldats tués lors de l'accrochage avaient des arquebuses, de la poudre et des balles. Je m'en emparai, malgré les haussements d'épaules de Mehoro et de Timi. L'ennui, c'est que j'étais obligé de les porter moi-même : deux arquebuses, plus un arc, des flèches, des bourses de poudre et de balles, c'était plutôt lourd à déplacer. Je m'efforçais de courir au même rythme qu'Omaata et Fahina. Mon fardeau me brisait les reins et les bras.

Itia et Mehoro cessèrent bientôt de remonter la piste des incendies. Ils coupèrent à travers la forêt. En un quart d'heure, nous atteignîmes la rive du lagon, ce lac de mer emprisonné par l'anneau de l'île.

De là, nous pouvions estimer la progression de l'ennemi d'après la progression de l'incendie. Toute la partie orientale de l'île, la partie basse, était noyée d'une fumée plus ou moins épaisse. Mehoro, Itia et Omaata discutèrent vivement, se montrant divers points du paysage. Le grand et silencieux Timi me toucha la poitrine et me fit signe de poser à terre mon attirail d'arquebuses, de poudre et de balles, et de le suivre.

Il me conduisit parmi des fourrés qui se révélèrent une cachette ingénieuse. Avec mon aide, il les arracha par buissons entiers et nous découvrîmes deux pirogues de petite taille.

Tandis que Timi en tirait une vers la rive du lagon, j'y poussai l'autre.

Quelques instants plus tard, le groupe se répartit entre les deux embarcations : j'étais avec Timi et Omaata, qui essayèrent de me faire renoncer à mes arquebuses, en vain.

La pirogue conduite par Mehoro en tête, nous glissâmes sur les eaux calmes et transparentes du lagon. Derrière nous, la partie basse de l'île n'était plus qu'un énorme nuage de fumée enveloppant les arbres.

9

La partie haute de l'île était constituée d'un mont abrupt et de ses quelques contreforts. La forêt poussait environ jusqu'à mi-pente. Au-dessus, il semblait n'y avoir que de la pierre, blanche et noire.

Tandis que les pirogues s'en approchaient, j'admirai le contraste entre l'eau si tranquille et si tiède du lagon et cette montagne escarpée, inhospitalière. Comme si les pirogues, voguant encore au paradis, me conduisaient au purgatoire. Quant à l'enfer, les Espagnols s'étaient chargés de l'allumer eux-mêmes.

Désormais, je ne pensais plus à eux que sous ce terme : « les Espagnols », comme si je n'en étais, n'en avais jamais été un. Comme si leurs crimes m'avaient ôté tout sentiment de parenté avec ces hommes et tout respect pour eux. Bien sûr, il y avait mon père. Qu'avait-il bien pu lui arriver depuis la veille ?

Les pirogues accostèrent. Nous les halâmes sous le couvert des premiers arbres, tâchant de les dissimuler du mieux que nous pouvions. Il fallait faire vite : là-bas, à cinq cents mètres environ, l'incendie gagnait. Les Espagnols, sans doute, étaient tout près.

Cette fois, je dus me résigner à abandonner les deux arquebuses. Je les cachai sous les pirogues, ainsi que leur provision de poudre et de balles. Je me sentis presque nu, avec seulement un arc et quelques flèches. Mais je savais qu'il faudrait à présent être rapide et léger. Ma vie en dépendrait.

Pendant deux heures environ, sous la conduite de Mehoro et d'Itia, nous avons harcelé les Espagnols.

D'après la progression des incendies, Mehoro avait estimé que les soldats devaient se déplacer en trois groupes. Il décida de les attaquer tour à tour. Il ne s'agissait pas de les affronter de face, nous n'en avions pas les forces. Il s'agissait de se servir d'une parfaite connaissance du terrain, de mener une guerre d'embuscades : frapper par surprise et disparaître.

À chaque fois, nous agissions de la même façon.

D'abord, nous localisions la colonne de soldats dans la forêt.

Itia, Timi et moi nous en approchions ensuite par le flanc gauche, tandis que Mehoro, Omaata et Fahina contournaient l'ennemi sur le flanc droit.

À plat ventre, dissimulés par la végétation du sous-bois, nous attendions que la colonne nous ait entièrement dépassés. Lorsqu'il ne voyait plus que le dos des soldats fermant la marche, Mehoro se redressait, donnant le signal.

Itia et moi lancions chacun une flèche, abattant ou blessant les deux derniers soldats de la colonne. Aussitôt après, notre petit groupe filait à travers les arbres.

Lorsque les Espagnols tiraient à l'arquebuse ou battaient les alentours, mes compagnons et moi étions déjà loin, déjà sur la piste d'une autre colonne de soldats que nous frapperions de la même façon : deux flèches, deux victimes, puis s'envoler.

10

Nous sommes tapis dans les fougères.

J'engage une flèche sur mon arc. J'attends. Je retiens mon souffle. J'attends de voir, là-bas, de l'autre côté du sentier, se dresser Mehoro.

Déjà on entend le bruit de pas et de métal entrechoqué de la colonne espagnole qui approche.

Je ne sais pas ce qui m'alerte tout à coup : un léger craquement de brindille, la sensation d'un regard dans mon dos ? D'instinct, je me retourne. Mon cœur se met à battre fort et soudain j'ai la bouche sèche.

Les fougères s'agitent faiblement. Quelque chose, quelqu'un approche. Quelque chose, quelqu'un essaie de me prendre à revers.

Je lève mon arc, le bande, appuie ma joue contre mon poing, visant l'endroit, à quelques mètres, d'où l'assaillant jaillira.

Les fougères s'agitent de plus en plus. Deux secondes, une... Et tirer.

Je suis si nerveux que, lorsque je reçois le coup dans le dos, je décoche aussitôt ma flèche qui va se perdre dans les frondaisons.

Violente douleur entre les omoplates.

Je roule au sol.

On se jette sur moi. Le poids d'un corps vigoureux qui me tord un bras dans le dos et me maintient joue contre terre.

Je crie :

— Itia !

J'entends le son étouffé d'une voix, un pas rapide, et tout à coup on me libère le bras.

Le temps que je me retourne, me redresse, les Espagnols, avertis par mon cri, tirent plusieurs coups d'arquebuse dans le sous-bois.

Je cherche des yeux mon arc, ne l'aperçois nulle part aux alentours. Il faut battre en retraite. Les Espagnols – je ne les vois pas, j'entends leur hurlement d'assaut – se précipitent dans ma direction.

Je cours parmi les fougères, trébuche, m'étale, me relève.

Il ne faut pas qu'ils m'attrapent. Ils ne me pardonneront jamais ma trahison. Car je suis un traître. J'ai trahi mes compatriotes, j'ai trahi les chrétiens au profit des sauvages. Et le pire, le pire, c'est que je n'en éprouve aucun remords.

Lorsque le sous-bois s'éclaircit, je sais que je n'ai aucune chance en terrain découvert. Je n'en peux plus de courir. Il ne me reste qu'à faire face et à mourir comme un véritable Torre Santo.

II

Longtemps, pendant des années sans doute, j'ai gardé en moi le souvenir de ce massacre. Certes, les Espagnols ont été punis selon la loi du talion, récoltant la violence qu'ils avaient eux-mêmes semée. Pourtant, je ne me pardonnais pas l'étrange folie qui m'avait vu, sans me poser de questions, combattre toute la journée mes propres coreligionnaires jusqu'à l'extermination d'une colonne entière de soldats. Jamais mon père ne me trouverait la moindre justification à avoir agi ainsi, oubliant mon devoir fondamental de chrétien et de sujet de la Couronne d'Espagne.

Je m'en voudrais d'autant plus quand, des

semaines plus tard, lorsque je saurais manier la langue de Hao, Mehani me raconterait l'embuscade.

Il s'apprêtait, avec Ohou et quatre autres guerriers, à attaquer la colonne espagnole quand il avait décelé une présence dans les parages (c'était moi, il ne le savait pas). Il avait décidé d'y aller voir, en compagnie de son frère.

Ainsi, « l'ennemi » que j'avais visé parmi les fougères était Mehani. Cependant, Ohou me prenait par surprise, me plaquait au sol et s'apprêtait à m'égorger, lorsque Mehani, me reconnaissant, avait empêché Ohou d'achever son geste. Alors j'avais crié. Donc alerté les Blancs. Sans hésiter, Mehani et Ohou tirèrent profit de la situation. Filant avec leurs compagnons à travers la forêt, ils allèrent se cacher derrière les rochers des premiers contreforts du volcan où, dans ma fuite, je conduirais obligatoirement mes poursuivants. C'est exactement ce qui se passa. À mon insu, j'ai été l'instrument principal du massacre des soldats.

***

Ils attendirent le dernier moment.

Ils attendirent que je quitte la forêt, traverse

une vingtaine de mètres parmi les cailloux, m'immobilise, à bout de souffle, et me retourne, les mains vides, les poings serrés, face à mes poursuivants.

Ils attendirent que tous les Espagnols, ils étaient une vingtaine, sortent de l'abri des arbres. Ils attendirent que je crie dans la langue des Blancs ce qui ressemblait à une parole de défi.

Ils attendirent que les Espagnols soient à une portée de lame de ma poitrine.

Alors trois guerriers sortirent des rochers en surplomb et lancèrent leurs javelots, transperçant les soldats les plus proches de moi. Puis trois autres guerriers, comme une seconde salve. Leurs javelots blessèrent deux hommes, en tuèrent un troisième.

— Tiko ! Tiko !

Je trouvai la force de me remettre à courir. Courir vers l'abri des rochers. J'avais reconnu cette voix. C'était celle de Mehani.

Les Espagnols battirent en retraite vers la forêt. Une retraite que leur coupèrent Itia, Mehoro, Timi, Omaata et Fahina. Flèches et javelots : d'autres soldats tombèrent.

Timi et Mehoro se jetèrent au corps à corps, rejoints très vite par Mehani, Ohou et les guerriers. Il n'y eut bientôt plus un Blanc debout à la lisière de la forêt.

12

Les Espagnols se replièrent en fin d'après-midi. Après de premiers succès remportés sans coup férir, ils s'étaient heurtés à une nouvelle résistance et préférèrent décrocher. Leurs représailles étaient, pensaient-ils, complètes. Ils ignoraient encore qu'une colonne entière des leurs avait péri dans l'embuscade de Mehani.

Quand ils le comprirent, ils étaient sur la grande plage, et remontaient à bord des chaloupes. Les indigènes, accourus comme par magie de tous les points de l'île – ces mêmes indigènes qui, je le comprendrais plus tard, par défaut d'un vrai chef, avaient laissé des Espagnols bien inférieurs en nombre incendier leurs maisons –, se jetèrent à l'assaut de cette plage. Des dizaines de javelots furent lancés dont peu atteignirent leur cible.

Et j'étais là, moi, à bout de souffle, pieds nus et en haillons, entre Itia et Mehani, et je hurlais avec les insulaires, et j'ai projeté un javelot vers la mer, vers les chaloupes, vers les Espagnols. J'étais fou de rage, de vengeance et de sang.

Je connaissais Mehani depuis deux jours, Itia, depuis quelques heures. Je ne parlais pas leur langue. Je ne savais rien d'eux. Je n'étais pas des leurs. Ceux qu'en toute logique j'aurais dû appeler les miens fuyaient dans des chaloupes.

Une cinquantaine d'indigènes mirent des pirogues à la mer, se lancèrent dans une poursuite impossible. À peine les chaloupes eurent-elles atteint les navires que les canons tonnèrent. Les boulets vinrent s'enterrer dans le sable, inoffensifs, mais les détonations furent si terrifiantes pour les insulaires qu'ils coururent tous à l'abri des arbres tandis que les pirogues viraient précipitamment de bord, abandonnant leur poursuite.

J'étais seul, je crois, sur la plage, quand *Los tres Reyes de Mayo*, la *Santa Maria* et le

Rey del Mar relevèrent leurs ancres et hissèrent les voiles.

Je m'assis dans le sable.

Je compris alors que les navires emportaient Diego de Torre Santo, et je me demandai qui était là, assis sur la plage.

À ma place.

Troisième partie
Le diable

I

Les premiers jours, je les ai passés dans un sentiment de vide et de tristesse : après la furie des événements et des combats, j'avais enfin le temps de réfléchir et, bientôt, la présence de mon père me manqua. Je ne savais plus si j'avais eu raison d'agir comme je l'avais fait. Dans mes insomnies comme dans mes cauchemars, me revenaient toujours les mêmes images : le sang, les morts et les incendies, et ce moment de folie où j'avais, sans une hésitation, visé et blessé mon frère d'une flèche en plein visage.

Je gardais sa molaire brisée dans ma poche. Parfois, je la prenais entre mes doigts et je la contemplais longtemps, comme la preuve de ma traîtrise : quoi qu'aient pu faire les Espagnols, qui étais-je pour me permettre de les condamner ? J'avais tué, moi aussi, et tenté d'assassiner mon propre frère.

Je vivais dans l'habitation d'Ohou et Mehani. Ils étaient orphelins, leurs parents et leurs sœurs étaient morts noyés dans une tempête il y avait longtemps. Ils semblaient heureux de m'avoir auprès d'eux et m'enseignèrent la langue de Hao ainsi que les principales règles de la vie sociale dans l'île.

Par bonheur (c'est le mot juste), la compagnie de Mehani, d'Ohou et de leurs amis ne me laissait guère le temps, dans la journée, de m'abandonner à mes idées noires. Ils m'emmenaient partout avec eux, à la chasse au cochon sauvage ou à la pêche dans les pirogues, ils me faisaient participer aux veillées et m'apprenaient leurs chants. La vie était rythmée de moments pleins où l'on courait, nageait, pagayait, riait dans le soleil, et de moments extraordinairement calmes, étendu à l'ombre, ne parlant pas, simplement heureux d'être là, d'être un corps.

Et il y avait Itia. Elle nous accompagnait souvent à la pêche ou à la chasse, avec Omaata.

Plus je la regardais, plus j'aimais sa façon d'être, ses colères et sa grâce, cette manière de paraître si femme alors même qu'elle rivalisait avec nous dans nos jeux de garçons. J'essayais de rester toujours près d'elle quand nous traversions la forêt à la poursuite d'un cochon sauvage ou que nous poussions sur nos pagaies et filions vers le large. Et, les jours où elle ne venait pas nous rejoindre, parce qu'elle devait aider sa mère à des occupations de femme, la forêt et l'océan me semblaient plus tristes, le soleil moins clair.

J'avais pris l'habitude, chaque matin, de rejoindre Mehani et Ohou dans la petite anse au nord de l'île. Je m'y entraînais à un jeu qu'ils m'avaient appris et dont ma maladresse à y jouer les a longtemps amusés. La règle pourtant en était d'une simplicité aussi limpide que l'eau dans laquelle ce jeu se pratiquait : il s'agissait de plonger et de pêcher à mains nues.

Les deux frères étaient très forts à cet exercice. Ils nageaient comme des dauphins, leur souffle semblait inépuisable et ils glissaient sous la surface sans provoquer une ride, une vague. Les poissons les prenaient pour des congénères et, quand ils comprenaient leur erreur, c'était trop tard : Ohou et Mehani en tenaient chacun un dans la main, ils émergeaient dans le soleil, brandissant l'animal frétillant, irisé, et le jetaient loin sur le sable de la plage où il tressautait un moment, bondissait, virevoltait, s'épuisait, les ouïes battantes, les lèvres bées.

Inutile de raconter mes premières expériences. Je parvenais à peine à mettre la tête sous l'eau, où déjà les yeux me piquaient, l'air me manquait.

J'acceptais de bonne grâce ma défaite et les rires de mes amis. Mais l'éducation que m'avait donnée mon père ne me prédisposait pas à m'y complaire. Je pris donc ce jeu très au sérieux et ne serais sans doute jamais devenu si bon nageur sans les moqueries de Mehani et de son frère.

Tout cela pour dire qu'un matin je saisis dans ma main une chose gluante et froide, récalcitrante. C'était un poisson. J'avais plongé à plus de dix mètres sous la surface pour obtenir cette victoire. Quand j'émergeai à l'air libre, tenant haut mon trophée, j'étais heureux et, en même temps, je compris que je n'étais plus espagnol. Je flottais dans une mer tiède, pratiquement nu, j'avais attrapé un poisson à la main, ma peau était brune et dorée, et mon cri de victoire je le lançai en langue de Hao. Pendant un instant, j'oubliai ma joie d'avoir remporté enfin le jeu et je me vis par les yeux de mon frère : j'étais devenu ce qu'il appelait un « sauvage ».

Je n'y pensai plus quand je lançai le poisson – le trophée – sur la plage. Itia s'y tenait, légèrement déhanchée, les seins nus, passant ses doigts en peigne dans sa lourde chevelure luisante et noire. Le poisson atterrit devant ses pieds, je me sentis incroyablement fier et nageai jusqu'au rivage. Ce n'est qu'en sortant de l'eau, les yeux fixés sur Itia et très conscient de mes muscles forcis par des mois de nage quotidienne, que je compris que je n'étais plus un enfant et que j'avais très envie de jouer avec cette fille superbe et sévère. (*Jouer*, dans la langue de Hao, quand il s'agit des rapports des hommes et des femmes, a le même sens que nos verbes *embrasser, caresser, aimer.*)

Je m'arrêtai au bord du rivage. Juste pour prendre le temps d'admirer Itia.

Mehani jaillit de l'eau derrière moi, me bouscula pour rire – et je tombai dans le sable.

Il courut vers Itia, la prit dans ses bras, la souleva comme une enfant et bascula avec elle sur la plage. Ils roulèrent, accrochés l'un à l'autre. Enlacés.

Je me relevai en époussetant le sable collé sur ma poitrine et sur mon ventre, les regardai, allongés l'un contre l'autre. Ils riaient, et brusquement je les détestai comme je n'avais détesté personne depuis mon frère. Je leur tournai le dos, plongeai à nouveau dans la mer.

Je restai longtemps sous l'eau, très longtemps, jusqu'à ce que la poitrine me fasse mal. Lorsque j'émergeai, Itia et Mehani étaient assis sur la plage. Ils se tenaient par la taille. Ils allaient bien ensemble.

Je nageai jusqu'à la barrière de corail. Jamais je n'avais essayé de la franchir depuis la nuit où j'avais sauté du *Los tres Reyes de Mayo* et que ma vie en dépendait. Les rouleaux de vagues me projetèrent dans tous les sens, j'avalai plus d'eau de mer que dans toute ma vie.

J'aurais dû me noyer.

Une force paisible me tira hors de l'eau, m'entraîna loin des remous. Je crachai, repris mon souffle.

Je reconnus Ohou, me maintenant à la surface. Je me débattis, lui fis lâcher prise et regagnai tout seul la plage.

2

J'habitais l'île depuis cinq mois quand les incidents commencèrent.

Pendant les semaines qui suivirent les massacres et les incendies, les indigènes s'étaient divisés en deux clans. L'un, inspiré par une femme qu'on nommait Ivoa, voulait ma mort ; l'autre – autour de Tetouhani, le cacique, de Mehani, Mehoro, Ohou et Itia – me défendait. Je ne comprenais pas encore leur langue mais, à force de suivre leurs débats, j'avais compris que mon sort n'était qu'un prétexte. Ceux qui ne s'étaient pas battus contre les Espagnols (ceux de l'est) comptaient laver leur lâcheté dans mon sang. Les autres (ceux de l'ouest, mes amis) s'autorisaient de leur bravoure pour renverser un équilibre des alliances tribales qui leur était auparavant défavorable. Ma survie ou mon exécution signifierait la victoire politique de l'un ou l'autre clan.

Il y eut d'abord des vols d'ignames et de fruits. On ne s'en aperçut pas tout de suite car les indigènes de Hao ont pour habitude d'emprunter ce qui leur plaît ou ce dont ils ont besoin. Peut-être les vols avaient-ils commencé beaucoup plus tôt : personne, sur l'île, ne s'inquiète quand quelque chose disparaît chez lui, personne n'hésite quand il a envie d'un objet ou d'un fruit aperçu chez un voisin : il le prend. Plus tard, il viendra le rapporter de lui-même, sans qu'on ait songé à le lui réclamer.

Mais il fallut se rendre à l'évidence : les panières de fruits et d'ignames qui disparaissaient n'étaient jamais remplacées. Et, lorsqu'on en discutait, personne ne reconnaissait avoir fait l'emprunt.

Puis il y eut plus grave, plus inquiétant. Les femmes qui allaient à la source faire provision d'eau racontèrent avoir entrevu des ombres s'enfuir sous les arbres quand elles s'en approchaient. Les enfants, à Hao comme ailleurs, aiment faire des farces. On pensa que les ombres, c'étaient eux. Et l'on se moqua des femmes de la corvée d'eau.

Jusqu'au jour où l'une d'elles rentra au village en hurlant. On l'entoura, on la calma, on remarqua son œil enflé comme par un coup de poing, on réussit enfin à la faire s'expliquer : elle était allée plus tôt que d'habitude à la source et, quittant la lisière de la forêt, elle avait vu une « ombre velue » (c'était sa description) accroupie au bord de l'eau. De stupeur, elle avait crié. L'ombre, surprise, s'était redressée et enfuie aussitôt vers le mont de Wunhgin. Quant à son œil au beurre noir, elle l'avait attrapé parce qu'elle s'était enfuie aussi vite que l'ombre – et que, en se retournant, elle avait heurté de plein fouet le tronc d'un arbre.

Elle fit beaucoup rire. Et les enfants, pendant plusieurs jours, rejouèrent entre eux l'histoire de la rencontre d'une femme, d'une ombre et d'un tronc d'arbre. C'est ce soir-là qu'Ivoa nous rendit visite.

***

C'était une femme sans âge, ni jeune ni vieille, ou plutôt avec les rides du grand âge et la force de la jeunesse. Par sa connaissance des pratiques magiques et des herbes médicinales, elle avait obtenu autorité et influence sur ses voisins. Le vrai cacique des habitations de l'est, c'était elle. Personne n'aurait osé contester son pouvoir.

Elle était venue seule. On la disait courageuse, il fallait qu'elle le prouve. Elle ignora Tetouhani et Ohou. Elle s'adressa directement à Mehani.

— Tu as sous ton toit un étranger.

— Sous mon toit, répliqua Mehani, il n'y a que mon frère, Tiko.

— Tu n'as qu'un frère, et c'est Ohou. Tiko nous a apporté l'incendie et la guerre. Il apportera le malheur.

— Il nous a apporté son aide quand les hommes venus de la mer, ses propres frères, nous massacraient.

— Fais-lui quitter Hao.

— Il ne quittera cette île que s'il veut la quitter.

— C'est ton dernier mot ?

— Oui.

— Méfie-toi, Mehani.

— Je me méfie. De toi et de ceux qui t'écoutent.

3

Quelque temps plus tard, j'étais assis devant l'habitation d'Ohou et Mehani quand j'entendis des cris.

Ils venaient de l'est de la forêt, là où se trouvait le territoire tenu par ceux qui voulaient ma mort. Les cris se rapprochèrent. Des habitations voisines, je vis surgir des hommes qui se mirent à courir dans leur direction. Je n'avais pas le droit de m'éloigner seul des abords de la case ; j'y risquais ma vie. Mais le besoin d'agir était trop fort : je courus à mon tour vers l'est.

Quand je rejoignis les hommes, je m'arrêtai. Maintenant, tout le monde criait. Ceux que j'avais suivis et les autres, ceux de l'est, qui semblaient très agités. Poussé par la curiosité, je commis l'erreur d'avancer parmi le groupe. Aussitôt, Ivoa et deux jeunes guerriers, grimaçant de haine, se jetèrent sur moi. Ils m'auraient sans doute assommé à coups de poing si Ohou et Mehoro n'étaient intervenus pour me protéger. Il y eut un échange d'insultes et de défis, puis Mehani s'interposa calmement :

— Laissez Tiko tranquille et dites-nous la raison de vos cris.

— La raison ! cria Ivoa. Tu veux connaître la raison de notre colère, Mehani ? Regarde-la. Elle arrive.

D'un geste à la fois brutal et emphatique, elle nous montra un petit groupe qui descendait à notre rencontre. Quatre hommes portaient une femme, allongée sur une civière rudimentaire. Ils la déposèrent avec précaution dans la clairière. Les yeux clos, elle semblait morte. Du sang déjà bruni maculait le côté gauche de son visage.

— Que s'est-il passé ? demanda Ohou.

Dans leur colère, ceux de l'est répondirent tous ensemble et il fallut beaucoup de patience et de questions pour reconstituer les faits.

À l'aube, la femme était allée comme tous les matins faire provision d'eau à la source qui coule au pied de la montagne. Là, un *yarimu* l'avait attaquée par surprise et assommée à coups de pierre.

— C'est à cause de lui ! cria Ivoa en me désignant du poing. Sa présence a réveillé les *yarimus* de la montagne ! Il doit partir ou mourir !

Mehani croisa calmement les bras et hocha plusieurs fois la tête avant de demander :

— Comment sais-tu que c'est un *yarimu* qui a assommé cette femme ?

— Elle l'a vu ! Elle l'a vu le temps d'un éclair, mais ça lui a suffi pour reconnaître un *yarimu* !

— Oh, dit Ohou, cette femme a donc déjà vu un *yarimu* pour être capable de le reconnaître quand il l'attaque ?

— Un *yarimu* est un *yarimu*. Tout le monde peut le reconnaître.

— Cette femme et toi êtes plus savantes que nous, alors, reprit Mehani. Dis-nous à quoi ressemble un *yarimu*.

— Celui-là avait pris l'apparence d'un être humain, comme tous les *yarimus* quand ils sont en colère et qu'ils rôdent. Mais la moitié de son visage était noire, et l'autre blanche. Comme les pierres.

Ohou et Mehani semblèrent impressionnés

par cette description qui, à moi, me parut aussi sommaire qu'incompréhensible. Ohou hocha encore la tête, longtemps, parce qu'il réfléchissait. Puis Mehani dit :

— Réunissons-nous ce soir sous le grand banian. Nous parlerons.

Les hommes de l'est discutèrent longuement entre eux avant qu'Ivoa accepte en leur nom cette proposition. À l'écart, Mehani et Ohou entreprirent une conversation qui, inexplicablement, devint un véritable affrontement. Ils faisaient de grands gestes, se bousculaient à la poitrine, comme on défie un ennemi. Je voulus m'approcher des deux frères, mais Tetouhani me retint.

— Laisse-les. Ils sont vifs, mais ils s'aiment.

Soudain, Ohou tourna le dos à son frère et partit à grands pas. Je devinai que Mehani avait envie de le rappeler, mais que l'orgueil l'en empêchait. Le visage fermé, il vint nous rejoindre au moment où Ivoa nous annonça que ceux de l'est étaient d'accord pour une réunion ce soir sous le grand banian.

— Pourquoi Ohou est-il parti ? demandai-je à Mehani. Qu'est-ce qui lui a pris ?

Mehani carra les épaules, gonfla ses pectoraux et marmonna, d'une voix rancunière :

— Mon frère a trop de courage et pas assez de cervelle.

Je ne posai aucune autre question.

Cependant, ceux de l'est remportaient la civière où la femme, ayant rouvert les yeux, gémissait sans cesse ce mot étrange que je venais d'apprendre : *yarimu*.

4

— Un *yarimu* ? me dit Mehani quand nous eûmes regagné son habitation et que je lui eus posé la question qui m'avait brûlé la langue durant tout le trajet de retour. Tu ne sais pas ce qu'est un *yarimu* ?

Il prit une noix de coco dans une panière, la cassa en deux d'un coup de machette, m'en proposa la moitié et s'accroupit sous l'auvent de la case. Je m'assis près de lui.

— Ton peuple a une coutume ? me demanda-t-il.

Il m'en avait assez appris sur la vie des habitants de Hao pour que je sache lui répondre. Ce qu'il appelait « coutume » était assez semblable à ce que nous appelons « religion ».

— Oui. Nous avons une coutume. Nous sommes chrétiens.

— Et vos esprits sont en bois ?

— En bois ? Nos esprits ?

Il me fallut quelques instants pour me rappeler la cérémonie du général et du vicaire sur la plage, leurs trois grandes croix de bois plantées dans le sable, et pour comprendre que le mot « esprits » dans sa coutume se disait « Dieu » dans ma religion – dont l'une des trois personnes, il est vrai, est un esprit, saint. Comme je n'allais pas ouvrir une controverse théologique avec lui, je répondis le plus simplement possible :

— Oui, en quelque sorte. On représente nos « esprits » avec une croix de bois.

— Bon, dit-il. Ici, à Hao, les esprits sont des pierres.

— Ah.

Il mordit dans la chair blanche d'un morceau de noix, regarda loin devant lui et m'expliqua :

— Au début, il y avait Wuhngin. Il existait mais n'avait pas de forme. Alors il a créé la Terre. Il n'y a d'abord eu que de l'eau. Alors il a créé les îles. Puis il a créé les pierres pour donner une forme à la terre. Après, il s'est retiré sur la montagne. C'est là qu'il habite désormais.

« Quand il l'a créée, la terre a fait le tour de la Terre. Chaque fois qu'elle est sortie de l'eau, elle a formé une île. Puis, un jour, elle s'est reposée. Wuhngin a regardé et a trouvé que la Terre était vide et sans forme. Alors il a créé quelque chose de plus dur que la terre : les pierres. Aussitôt, les pierres se sont mises à tourner dans tous les sens et à former les montagnes, les caps et les récifs. Tu comprends ?

J'essayais. Ce qu'il me racontait était si différent de la Genèse que j'avais lue et relue dans la Bible de mon père. En fait, je ne comprenais pas, mais je désirais comprendre. Je murmurai :

— Continue, Mehani.

— Il faut que tu saches, Tiko, que les pierres avaient mauvais caractère. Elles tournaient et sifflaient dans l'air, essayant de s'impressionner les unes les autres. Elles se groupaient et faisaient la guerre aux autres groupes. Jamais elles ne se reposaient, jamais elles ne s'arrêtaient. Et, tout en roulant et en filant en tous sens, elles formaient le paysage des îles.

« Un jour, une pierre se blessa à la jambe : elle s'immobilisa et devint le récif qui protège la grande baie de notre île. Un autre jour, une autre pierre, à force de tourner et tourner et tourner, attrapa le torticolis, dut s'arrêter et devint la colline du sud. Peu à peu, toutes les pierres se lassèrent de tourner sans repos. Elles s'endormirent à l'endroit où la fatigue les avait saisies et la paix régna sur les îles.

— Tant mieux, dis-je, un peu étourdi d'avoir imaginé ces milliers de pierres virevoltant dans l'espace.

— Mais la force des esprits demeura dans les pierres, reprit Mehani après avoir grignoté encore un peu de blanche noix de coco. À la nuit tombée, les pierres reprennent vie. Elles logent des esprits, des *yarimus*. Ce sont eux qui te font peur, la nuit, quand tu vois bouger des ombres dans le noir. Ils rôdent. Ils imitent les hommes. Ils prennent leur apparence. Ils entrent dans les enclos et volent les ignames. Un *yarimu*, Tiko, ne mange que des nourritures crues. Seuls les hommes – comme le leur a appris la première femme – connaissent le feu et cuisent leurs aliments.

Un vent de mer vint nous rafraîchir, et j'eus un frisson. Je vis Mehoro qui arrivait en courant devant l'habitation. Il m'adressa un signe, le bras haut levé, je lui répondis vaguement et demandai à Mehani :

— Mais pourquoi les gens de l'est ont-ils parlé

du visage noir et blanc du *yarimu* qui aurait attaqué cette femme ? « Noir et blanc comme les pierres » ?

Il n'eut pas le temps de me répondre. Omaata et Timi déboulèrent sur le sentier et, à grands gestes, nous demandèrent de les rejoindre.

Mehani bondit sur ses pieds, jetant le morceau de noix qu'il tenait à la main.

— Viens ! Il se passe quelque chose !

Je le suivis.

***

Sans nous attendre, Mehoro, Timi et Omaata repartirent en courant en direction du lagon. Je tâchai de les suivre, rapidement distancé par la foulée de Mehani. Autour de nous, je vis d'autres hommes et d'autres femmes qui couraient et je compris que l'affaire était grave.

Au bord du lagon, un groupe nombreux de gens de l'ouest comme de l'est s'était déjà assemblé. J'y parvins avec quelques minutes de retard sur les autres. Il fallut que je me fraie un chemin jusqu'au rivage, et je sentis, en pénétrant au cœur de la foule, l'hostilité que suscitait ma présence. Bientôt, je vis le rivage et le cacique Tetouhani agenouillé près d'un corps. Je m'approchai.

Des cris alors fusèrent de partout :

— Qu'il s'en aille ! C'est sa faute ! *Yarimu ! Yarimu !* À mort ! Tuez-le !

Je fis quand même les quelques pas qui me séparaient encore de Tetouhani et du corps.

C'était Ohou. Le frère de Mehani. Une large plaie lui ouvrait la poitrine, d'où du sang s'écoulait encore comme d'une source écarlate.

Tetouhani se redressa alors et éleva les mains face à la foule.

— Que celui qui sait quelque chose nous l'explique. Que celui qui a vu se manifeste.

Il y eut d'autres cris, de haine, de colère, de chagrin. Tetouhani ferma les yeux et leva ses bras plus haut.

— La colère ne sert à rien ! La colère ne sait rien !

Il rouvrit les yeux, croisa les bras sur sa poitrine et demanda, d'une voix basse et tranquille :

— Qui fut le dernier à voir Ohou ?

— Moi ! cria une femme. Il est passé devant mon habitation, il m'a saluée et il était vivant !

— Moi ! dit une autre femme. Je l'ai croisé sur le sentier du Vent de mer, il était beau et portait un arc et des flèches !

— Moi, dit Timi. Je l'ai vu quand il partait.

— Où allait-il? demanda Mehani.

— Je ne sais pas. Je sais qu'il portait son arc.

— *Yarimu*... *Yarimu*... chuchota la foule.

Alors Mehani fit un pas en avant et, les yeux levés vers le mont de Wuhngin, il dit d'une voix forte:

— Que tout le monde le sache: mon frère voulait affronter le *yarimu*. Il...

Mehani n'en dit pas plus. Il baissa la tête, ses yeux s'emplirent de larmes et il recula parmi la foule.

Tetouhani éleva les bras. Il obtint un relatif silence. Puis il s'agenouilla, retourna le corps d'Ohou et l'on découvrit une plaie plus large ouverte au-dessus de ses reins.

— Le *yarimu*, dit Tetouhani en faisant glisser le bout de ses doigts sur la blessure, a refusé d'affronter Ohou. Il l'a tué par derrière.

Lentement, il se redressa. Il regarda la foule autour de lui, et fixa les yeux sur le groupe des hommes de l'est.

— Ce guerrier a été tué par un autre guerrier. Les *yarimus* n'agissent ni par derrière ni en plein jour.

Une rumeur parcourut l'assemblée des

hommes de l'est. Ivoa s'avança, grimaçant de colère :

— Que veux-tu dire, Tetouhani ? Que l'un d'entre nous a été assez lâche pour l'assassiner sans lui montrer son visage ?

— Je ne dis rien de la sorte. Je dis que celui qui a tué Ohou n'est pas un *yarimu*.

5

Quand nous sommes redescendus vers les habitations, personne ne dit un mot. Je marchais un peu en arrière. Je vis Mehoro s'approcher de Mehani et, en silence, lui saisir la nuque et la serrer, brièvement, amicalement. Lorsqu'il s'écarta, ce fut au tour de Tetouhani : il se mit à marcher tout près de Mehani. Puis, très rapidement lui aussi, il lui passa un bras autour des épaules et le secoua avec force.

Alors je me décidai. Quand le cacique s'éloigna de lui, je rattrapai Mehani, et restai un moment à son côté, sans oser faire un geste. Je voyais des larmes couler sur ses joues et je n'osais pas même le regarder.

— Mehani, bafouillai-je. Je suis… J'aimais Ohou. Je l'aimais aussi…

Mehani prit une profonde inspiration, releva le menton et fixa les yeux droit devant lui. Il dit :

— Je n'avais pas fini mon récit, Tiko. Écoute-moi :

« Il y a deux sortes de pierres. Les pierres noires n'ont pas de nom et aucun pouvoir magique. Les pierres blanches sont habitées par les *yarimus* et ont les pouvoirs de Wuhngin. Le *yarimu* au visage mi-noir, mi-blanc qui a blessé la femme de l'est et tué Ohou ne ressemble à aucun autre *yarimu*. Blanc et noir, il a pris tous les pouvoirs de Wuhngin, il est toutes les pierres. Il peut se cacher partout. Dans les pierres interdites, les pierres blanches, comme dans les pierres dont nous ne nous méfions pas, les pierres noires.

— Mehani ?

— Oui ?

— Si ce n'était pas un *yarimu*, qui peut avoir assommé cette femme et tué Ohou ?

Mehani tourna les yeux vers moi, me dévisagea.

— Il y a des *yarimus*, Tiko. Les *yarimus* sont

là, autour de nous. La coutume de ton peuple ne te l'a pas appris ?

— Si. On appelle ça des démons, ou des diables.

— Alors, écoute-moi, Tiko : il y a peut-être un diable dans l'île. Je ne sais pas. Mais je sais qu'il y a un assassin.

***

Ce soir-là devait avoir lieu la réunion avec ceux de l'est. Comme toutes les assemblées importantes, où l'on discute puis prend des décisions à la majorité des voix, elle aurait lieu sous le banian gigantesque qui se trouvait à la limite de la forêt, peu avant la montagne de Wuhngin. Mehoro, Timi et Tetouhani, le cacique, vinrent à l'habitation chercher Mehani. Ils avaient des mines graves comme je ne leur en avais jamais vu. Tandis qu'ils se saluaient, je les rejoignis.

Ils se regardèrent, l'air embarrassé, hésitèrent, puis le vieux Tetouhani prit la parole :

— Écoute-moi, Tiko. Tu sais que nous te considérons comme l'un des nôtres. Tu es le frère de Mehani, de Mehoro, de Timi. Tu étais celui d'Ohou. Tu es comme mon fils. Mais ceux de l'est pensent autrement. Ils voient en toi un ennemi.

Je baissai la tête, furieux et mortifié.

— Tu veux dire, Tetouhani, que je n'ai pas le droit de vous accompagner sous le banian ?

Le cacique me posa doucement la main sur l'épaule.

— Sous le banian nous allons parler de toi, Tiko. Ta présence est impossible.

— Je croyais que vous alliez parler du *yarimu* ?

Ils échangèrent de nouveaux regards. Après un silence, Tetouhani reprit :

— Oui. Du *yarimu* et de toi.

— Je n'ai rien à voir avec ce… ce diable ! Et si l'on m'accuse, j'ai le droit de me défendre !

— Nous te défendrons. Si nos arguments ne sont pas écoutés, alors il y aura une autre assemblée sous le banian. Cette fois-là, tu pourras te défendre.

Il me secoua amicalement l'épaule.

— Mais, crois-moi, Tiko, j'espère que cette deuxième assemblée n'aura jamais lieu.

— Pourquoi ?

Mehani intervint :

— Peu importe, Tiko. Il n'y aura pas de deuxième assemblée.

Je répétai :

— Pourquoi ? Pourquoi avez-vous peur d'une deuxième assemblée ?

Tetouhani croisa les bras, hocha un moment la tête en fixant les yeux sur le sol, puis les leva tout à coup vers moi.

— Puisque tu veux le savoir, écoute-moi : s'il y a une deuxième assemblée, c'est que celle de ce soir t'aura jugé coupable à la majorité.

— Et… ?

— Et la deuxième assemblée déciderait de la sentence.

— La…

J'avais la gorge nouée. Je repris :

— La mort ?

Tetouhani me posa la main sur l'épaule.

— Nous ne t'abandonnerons pas, Tiko. S'ils font ça, il y aura la guerre dans l'île.

— Au cause de moi ?

Mehani me prit le bras, m'attira contre lui.

— Non, pas à cause de toi. Nous savons – *je sais* – que tu n'as tué personne. Et surtout pas mon frère.

6

Sur les conseils de Tetouhani, je restai dans l'habitation de Mehani. Je ne devais pas en bouger. Je réfléchis longtemps, me demandant ce qu'il se passait à l'assemblée et ce qui arriverait si jamais… Malgré tout, allongé dans le noir, je finis par m'endormir.

J'étais en train de rêver de Felipe, mon frère (il me poursuivait, il n'avait plus de visage et une flèche était plantée dans sa joue) quand je fus réveillé en sursaut.

On criait.

Les cris étaient tout proches.

Je me levai d'un bond. Je courus hors de l'habitation. Je tombai dans les bras d'une grande et large ombre à la peau douce.

— Tiko ! Tu ne dois pas bouger d'ici !

C'était Omaata. Elle portait un arc en bandoulière et un javelot à la main.

— Qu'est-ce que tu fais là ?

— Tetouhani m'a demandé de veiller sur toi jusqu'à ce que Mehani et Mehoro reviennent de l'assemblée.

Il fallait donc qu'on me protège. Et c'était à une femme (à peine : elle avait quinze ou seize ans) qu'on l'avait demandé.

— Qui a crié ?

— Je ne sais pas.

Je tendis le doigt par-dessus son épaule.

— Regarde !

Elle se retourna. Nous vîmes la même chose : un feu, à deux cents mètres environ.

— L'habitation d'Itia !

À cette heure-là, aucun feu, surtout si violent et si clair, n'aurait dû y être allumé. Sans un mot de plus, je me précipitai vers l'incendie.

— Tiko ! Reviens !

Je dépassai trois habitations. Des femmes en sortaient, à moitié endormies. Courant derrière moi, Omaata leur cria :

— Le feu ! Chez Itia ! Le feu !

Et nous continuions à courir.

Quand nous sommes arrivés, le toit était en

flammes. Un feu très jaune qui grondait comme un vent de tempête. Omaata me toucha la poitrine.

— Reste là.

J'écartai sa main.

— Non.

Elle hésita. Je la bousculai et me précipitai vers l'habitation. Je ne me demandai même pas si elle me suivait.

Le feu, étrangement, semblait avoir pris d'abord sur le toit. À présent, il descendait, dégringolant sur les murs de poutres et de palmes. Tout cela flambait très vite, comme de la paille : une seule petite flamme et tout s'embrasait, dans un grand bruit de souffle d'ogre, une brutale lumière de soleil de midi.

Je franchis l'entrée sous la véranda, baissant la tête, au moment même où elle prenait feu. Tout mon dos se mit à cuire. Je me jetai dans l'habitation, criai : « Itia ! I-tia ! I-TIA ! » et je tombai sur une vieille femme, la grand-mère d'Itia, recroquevillée près d'une poutre qui s'enflammait.

Je l'attrapai par la taille, je m'accroupis (« Laissez-vous faire ! ») et la chargeai d'un coup de reins sur mes épaules. Je criai :

— Tout ira bien !

Parce que, je crois, je voulais m'en convaincre. Je courus. Je la portai hors de l'habitation, franchissant à la dernière seconde des cascades de feu. Je la déposai délicatement dans l'herbe, loin de l'incendie, et, quand je me redressai et regardai vers l'habitation, je vis Omaata, superbe comme une jeune déesse guerrière, jaillir hors des flammes, portant un enfant sur sa poitrine. Le frère d'Itia. Il y eut une clameur de joie parmi les femmes assemblées autour de l'incendie. Elles se précipitèrent sur la grand-mère et l'enfant, leur apportèrent de l'eau, les cajolèrent.

Je croisai le regard d'Omaata. Je crois que nous pensions la même chose, à cet instant. Que nous éprouvions la même peur.

Je retournai dans l'incendie. Omaata me suivit.

Il faisait une chaleur extraordinaire. Comme lorsqu'on approche la main d'un feu. Mais, là, mon corps tout entier, toute ma peau semblaient sur le point de brûler. La fournaise asséchait jusqu'à l'eau de mes yeux.

Un seul des quatre angles de l'habitation tenait encore debout. J'y aperçus ce qui ressemblait à un monstre à huit membres, accroupi. Je bondis par-dessus les flammes, me retrouvai au cœur de l'incendie, réussis à franchir les quelques mètres jusqu'à l'étrange forme humaine.

C'étaient Itia et sa mère, serrées l'une contre l'autre, éclairées d'une violente lumière jaune et grondante.

Je dus lutter pour les séparer – elles s'agrippaient comme si leur terreur, leur amour pouvaient les sauver du feu. Heureusement, Omaata m'avait rejoint, et elle m'aida. Nous arrachâmes Itia et sa mère l'une à l'autre. Je pris aussitôt Itia dans mes bras. Affolée, elle se défendait. Je dus la gifler pour qu'elle se calme et je l'entraînai là où la barrière de l'incendie semblait le moins infranchissable. Je lui dis, très vite, qu'elle ne devait pas hésiter, qu'il fallait franchir ces flammes. Je le lui dis dans ma langue, en espagnol – mais elle me comprit puisque nous avons pris notre élan ensemble et nous sommes jetés – ensemble – par-delà le feu.

Je trébuchai, retrouvai mon équilibre, courus encore une trentaine de mètres et me laissai tomber dans l'herbe. Itia tomba contre moi. Nous ne nous étions pas lâché la main.

Je n'eus pas le temps de lui demander si elle allait bien, si elle n'était pas blessée, brûlée. Dans un long craquement de bois sec, ce qu'il restait de l'habitation s'embrasa comme un gigantesque brin de paille, illuminant la clairière comme en plein jour, et je vis deux formes humaines en jaillir, hurlantes, et s'effondrer à quelques mètres de l'incendie.

Je me redressai, abandonnant Itia, je courus, attrapai Omaata par les mains, la tirai le plus à l'écart possible, loin de la fournaise, retournai vers l'autre corps, la mère d'Itia, l'éloignai elle aussi du feu, et je tombai assis par terre, épuisé.

Les femmes nous entourèrent, elles apportaient de l'eau et des onguents. Je les laissai faire.

La mère d'Itia mourut en quelques minutes. Mais Omaata était forte, d'une force qui la maintint en vie pendant plus d'une heure, qui, pendant plus d'une heure, la fit souffrir comme on n'en a pas le droit. Malgré ses lèvres calcinées comme tout son visage, tout son corps, elle essaya jusqu'au bout de me parler. Je ne sais pas si c'est à moi qu'elle parlait. Je sais qu'elle tentait de prononcer des mots, des mots d'avant la mort.

7

Plus tard, les hommes nous rejoignirent. Alertés par l'incendie, ils avaient écourté l'assemblée sous le banian. Je les sentis en colère, une colère sourde, sombre. Ils avaient peur.

Mehani m'entraîna à l'écart et, après s'être assuré que je n'avais que des brûlures superficielles, il me murmura :

— Ils ont voté. À la majorité.

Je l'écoutais à peine. Je ne le regardais pas. Je ne pouvais détacher mes yeux du corps d'Omaata, allongé dans l'herbe, le visage, le dos et les membres calcinés.

Mehani me prit le bras, me secoua.

— Écoute-moi, Tiko : la majorité de l'assemblée a décidé que tu étais la cause de la colère du *yarimu*.

Je me dégageai violemment.

— Et alors ? Ils sont idiots, qu'est-ce que j'y peux ?

— Tu ne comprends pas...

Il eut un geste que seul mon père avait eu envers moi : il me passa la main dans les cheveux, l'y laissa un instant, puis les ébouriffa.

— Ce vote signifie ta mort, tu le sais, mon frère.

Je venais de voir Omaata, défigurée par le feu, je venais de l'entendre hurler de douleur. J'avais vu, quelques heures plus tôt, Ohou étendu mort sur la rive du lagon. Je ne parvenais pas à comprendre que des hommes, assis en rond autour d'un arbre, aient pu décider que quelqu'un d'autre mourrait. Peu m'importait que ce doive être moi. La décision, le vote, la sentence étaient en eux-mêmes ridicules, ou plutôt ignobles, comme aurait dit mon père. Ces hommes étaient-ils aussi bêtes et cruels que le feu, que la mort ?

Je regardai enfin Mehani, le dévisageai comme un inconnu et ces mots sortirent de ma bouche :

— Qu'ils essaient. Oui. Qu'ils essaient de me tuer.

Et je lui tournai le dos, repartant vers les habitations de l'ouest.

— Tiko !

Je ne me retournai pas. J'étais dans une colère qui valait bien celle de leur *yarimu*, de leur diable. Autour de moi, alors que l'incendie rougeoyait, s'asphyxiait, faute de combustible, on chuchotait.

On chuchotait que, de mémoire d'homme à Hao, aucune habitation n'avait jamais pris feu de la sorte. On chuchotait que c'était l'œuvre du *yarimu*.

On chuchotait que, si j'avais jailli du feu indemne, c'était peut-être que je l'avais moi-même allumé.

8

Cette nuit-là, alors que les femmes préparaient les corps d'Ohou, d'Omaata et de la mère d'Itia pour les rites funéraires, il y eut une réunion de crise chez Tetouhani.

Ma première observation, silencieuse, fut que nous étions peu nombreux. Autour de mes vrais amis fidèles – Tetouhani lui-même, Mehani bien sûr, et Mehoro, et Timi –, on ne comptait que cinq hommes, dont trois avaient l'âge du cacique, deux seulement celui de combattre. Ma seconde observation – découlant logiquement de la première – fut qu'ils avaient dû être bien peu à me défendre durant l'assemblée.

Très vite, la discussion porta sur l'incendie qui venait d'avoir lieu. Je compris rapidement que d'avoir sauvé Itia et sa grand-mère ne me servirait à rien : la conviction générale était que, sans ma présence, un tel désastre n'aurait jamais eu lieu. Timi avait rassemblé en hâte quelques témoignages qui, tous, se recoupaient : primo, le feu avait pris sur le toit ; secundo, je m'étais jeté dans et hors des flammes comme aucun être humain ne peut le faire.

— Donc, conclut Timi, le feu n'a pas pris par accident : quelqu'un l'a allumé et à l'endroit où personne ne pouvait l'éteindre : sur le toit. Et…

Il se racla la gorge, se frotta les mains, avant de poursuivre :

— Et Tiko a bravé le feu comme s'il était sûr que le feu ne pourrait le toucher.

— Très bien, dis-je.

Je me levai et écartai les bras.

— Vous pensez donc que je suis un *yarimu* ?

Mehani et Mehoro, sans hésiter, répondirent :

— Non.

Tetouhani, le cacique, laissa passer une seconde et dit non à son tour. Les autres, à contrecœur, finirent aussi par dire non. Je me tournai vers le grand Timi :

— Et toi ? Tu rapportes les paroles des autres, mais tu ne prends pas position ?

Timi inspira, gonfla son large poitrail, fit jouer les muscles de ses pectoraux et dit, d'une voix rancunière :

— Tu n'as pas le droit de me parler ainsi, Tiko.

J'attendis qu'il lève enfin les yeux vers moi avant de répliquer :

— J'aime ta réponse, Timi.

Puis, debout au milieu du cercle des hommes, je demandai :

— De quoi doit-on s'occuper d'abord ? Du prétendu *yarimu* qui fait peur aux hommes comme s'ils étaient des femmes ? Je dis : non.

Je tournai d'un quart de cercle et poursuivis :

— De quoi doit-on s'occuper d'abord ? De Tiko, l'étranger, dont la présence a semé la discorde dans l'île ? Je dis : non.

Je pris un temps – je me rappelai comme mon père savait rythmer ses discours, les ponctuer de questions, et de silences après ces questions. Je savais que la plupart de ces hommes, dans le cercle, donneraient leur vie pour me défendre. Je ne voulais pas de leur vie. Pas en échange de la mienne. J'avais en tête la dernière phrase importante que m'avait dite mon père : « Fais ce que tu dois faire. »

— De quoi doit-on s'occuper d'abord ? Je vais vous le dire : du *yarimu* et de Tiko ensemble. S'il faut se débarrasser du *yarimu*, et si la majorité a estimé que pour s'en débarrasser il fallait d'abord se débarrasser de Tiko, alors le *yarimu* devient l'affaire de Tiko. Mon affaire.

Je choisis de m'approcher du cacique, Tetouhani, et de lui poser la main sur l'épaule.

— Écoute-moi : je vais affronter le *yarimu*. Et j'apporterai sa dépouille à ceux de l'est. Et ils se tairont. Et il n'y aura pas de guerre.

J'étais plutôt satisfait de mon discours. Mon père, à mon avis, n'aurait guère fait mieux. J'avais réduit le problème à une idée simple ; cette idée, je l'avais prise à mon compte et sous ma responsabilité. Mon père aurait été fier de moi.

— Tu as bien parlé, dit Tetouhani. Tu as parlé comme un homme. Mais, Tiko…

Avec difficulté, Tetouhani se mit debout, sortit du cercle pour s'approcher de moi.

— Tiko, répéta-t-il. Tiko, Tiko, Tiko. Écoute-moi. Ton courage et ton plan sont magnifiques de simplicité. Mais tu as oublié quelque chose…

— Quoi ?

— Que le *yarimu* est un *yarimu*.

— Et alors ?

— Alors, Tiko, le *yarimu* est un esprit des pierres. Même si tu es vainqueur, tu ne pourras pas rapporter de dépouille… Les esprits n'ont pas de corps.

— Et si je rapporte les pierres ?

Tetouhani gloussa, regarda les hommes accroupis dans le cercle, et tout à coup ils se mirent tous à rire. Tous. Je ne m'étais pas encore habitué à cette façon qu'ils avaient toujours de passer d'un instant à l'autre de la tristesse au rire, de la colère à la joie. Ils étaient en deuil mais continuaient à rire.

— Les pierres ne sont que des pierres, Tiko !

Je n'y comprenais plus rien. Ils étaient là, riant tant qu'ils pouvaient.

— Les pierres sont vos esprits, sont vos dieux ! criai-je.

Tetouhani me toucha amicalement la joue.

— Tiko… Les pierres… La terre… Wuhngin… Ce sont des légendes. Des histoires pour les enfants et les simples d'esprit…

— Mehani m'a raconté…

— Mehani t'a raconté ce qu'on raconte la nuit quand on est ensemble et qu'on n'a pas sommeil. Tu y as cru ?

Je bafouillai. Comment lui expliquer que je n'y avais pas cru un instant, certes, mais que j'avais cru que lui et tous les autres y croyaient comme je croyais à la Sainte Trinité et à l'Immaculée Conception ?

— Non, admis-je. Non, je n'y ai pas cru.

Cette discussion n'avait pas tourné comme je l'espérais. Je me sentais étonnamment stupide. Que pouvais-je dire, à présent ? Sinon avouer en partie mon intuition :

— Écoutez-moi : ne parlons plus de Wuhngin, des pierres ni des *yarimus*. Parlons de ce que je pense : quelqu'un a attaqué la femme de la source, assassiné le frère de Mehani et mis le feu à l'habitation d'Itia. Laissez-moi trouver qui.

Tetouhani me considéra un moment, puis haussa les épaules.

— Et si c'est un *yarimu* ?

— Tu viens de me dire que tu ne crois pas aux *yarimus*.

Tetouhani rit encore, comme s'il discutait avec un enfant.

— Mais, Tiko… Même si je ne crois pas en eux, les *yarimus* existent.

— Je… Je ne comprends pas. Nous avons tous compris que le voleur de fruits, celui qui fait peur aux femmes à la source et les frappe, celui qui a tué Ohou et mis le feu à l'habitation d'Itia est un homme!

Tetouhani ferma les yeux, comme s'il refusait d'entendre mon raisonnement.

— Crois-moi, Tiko : il vaut mieux que ce soit un *yarimu*.

— Pourquoi ?

Le cacique rouvrit les paupières, regarda autour de lui comme s'il cherchait de l'aide. Mehani se décida à parler à sa place :

— Tiko... Si l'assassin, comme tu le crois, comme nous le croyons tous, est un Espagnol, tu ne pourras plus vivre sur Hao.

— Si !

J'avais crié. J'étais sûr de moi, sûr, en tout cas, que je ne me sauverais qu'en agissant.

— Si ! répétai-je. Je vivrai sur Hao ! Hao est mon île désormais ! C'est mon droit ! Et j'obtiendrai ce droit en trouvant l'assassin et en ramenant sa dépouille !

Les hommes se regardèrent, cherchant sur le visage de l'autre ce qu'il convenait de choisir. L'un après l'autre, ils baissèrent les paupières et hochèrent la tête de bas en haut. Après ce vote silencieux, Tetouhani se retourna vers moi :

— Bien, dit-il. Tu as choisi.

9

Je partis deux heures avant l'aube. Il fallait atteindre le mont de Wuhngin sans risquer de tomber sur ceux de l'est. Mehani et Mehoro m'accompagnaient, ce qui était de leur part un signe de grand courage et de grande amitié, car ce *yarimu* auquel ils ne croyaient pas ils le craignaient terriblement. Surtout la nuit, qui est le domaine des esprits.

La traversée de la forêt jusqu'au lagon se fit sans encombre. Nous avancions vite. Mehani et Mehoro connaissaient parfaitement le terrain et, depuis sept mois, j'avais appris à m'y déplacer comme un chat. Nous avons contourné le lagon par l'ouest. Quand la forêt se clairsema, laissant place à la pierraille qui annonçait le mont de Wuhngin, mes compagnons s'arrêtèrent. Ils n'iraient pas plus loin.

Sans un mot, Mehoro me prit dans ses bras et me serra contre lui. Puis Mehani s'approcha de moi.

— Tiko, crois-moi, ça ne sert à rien d'aller affronter le *yarimu* sur son propre territoire. On n'affronte pas les esprits.

— Nous en avons déjà parlé. Et tu connais mon opinion : ce prétendu *yarimu* est espagnol. Je suis, *j'étais* espagnol. C'est donc une affaire personnelle.

— Rappelle-toi, Tiko : Ohou était mon frère.

— Et le mien. Si je ne reviens pas, tu affronteras à ton tour l'assassin. C'est juste ?

— C'est juste.

— J'y vais.

J'avais réussi à garder une voix ferme, malgré un début d'angoisse qui commençait à me tenailler l'estomac. Je donnai l'accolade à Mehani, très vite, pour écourter la séparation.

— À bientôt.

— Attends.

Mehani tira de sa ceinture le couteau de Tolède que je lui avais offert le jour du débarquement et me le tendis.

— Prends.

— Non. Il est à toi.

— Prends. Tu me le rendras à ton retour.

— Merci.

Il me serra fort dans ses bras et me murmura à l'oreille :

— Tue-le.

Sans un autre mot, il me tourna le dos et partit au pas de course à la suite de Mehoro.

J'étais seul, à présent. Livré à mes propres forces.

***

Je parvins à ma première destination en quelques minutes. C'était le bosquet où, le jour de la bataille contre les Espagnols, Mehoro avait dissimulé les pirogues. J'enlevai les branchages et les palmes qui les recouvraient et me glissai entre les coques. Là, je tâtonnai, longuement. En vain. Je ne trouvai qu'un trou fraîchement remué. Mon cœur se mit à battre très fort.

Les arquebuses, la poudre, et les balles que j'avais entreposées dans ce trou avaient disparu. Je me reprochai mon inconscience : jamais je n'aurais dû les laisser à la portée de n'importe qui. Maintenant, ceux de l'est avaient des armes à feu et s'en serviraient s'ils faisaient la guerre à mes amis. Une raison de plus pour que je règle au plus vite le compte du *yarimu*, quel qu'il puisse être en réalité.

J'étais en train de replacer les branchages sur les pirogues quand j'entendis un bruit derrière moi. Je dégainai le couteau de Tolède, retins mon souffle et scrutai la pénombre d'avant l'aube.

Une ombre. Une silhouette. Furtive. Elle s'était glissée derrière le bosquet.

Lentement, en prenant garde à ne faire aucun bruit, j'entrepris de contourner les quelques arbres. Ma main était moite, serrée autour du manche du couteau. Peu après, j'entrevis à nouveau l'ombre. À trois mètres. Me tournant le dos.

Pas le temps de réfléchir. Je me jetai à l'attaque, avec le fol espoir d'accomplir aussitôt ma mission.

À la dernière seconde, l'ombre m'entendit, se retourna vivement – et, dans le mouvement, une longue chevelure lui cingla les épaules. Je m'immobilisai, le cœur battant, au moment même où ma lame allait frapper.

— Itia ?

Elle aussi devait avoir eu très peur, car elle ne répondit pas : les yeux écarquillés, les mains ouvertes, elle me considérait, bouche bée.

— Itia… Qu'est-ce que tu fais ici ?

— Tu… tu as failli me tuer…

J'abaissai aussitôt mon couteau et, tout à coup, ma peur se transforma en colère.

— Tu es folle ! Je t'ai prise pour le *yarimu* ! Oui ! Oui, j'ai failli te tuer, espèce de folle ! Par ta faute !

— Tiko, s'il te plaît… Ne crie pas. On risque de t'entendre.

— Mais !

Je me ressaisis, respirai et repris à voix basse :

— Pourquoi m'as-tu suivi ? Pourquoi étais-tu cachée là ?

Elle attrapa ses longs cheveux noirs dans sa main, les fis passer par-dessus son épaule droite, dissimulant un sein.

— Parce que, dit-elle, tu n'aurais pas voulu de moi.

— Je n'aurais pas… ? De quoi tu parles, Itia ? Tu avais l'intention de me suivre jusque sur la montagne ?

— Oui. Je te suivrai partout.

— Mais pourquoi ?

— Tiko, le *yarimu* a incendié ma maison, il a tué ma mère et Omaata. Je dois me venger de lui.

— Tu n'as pas peur ? Même Mehoro et Mehani ont préféré ne pas m'accompagner.

— J'ai peur, bien sûr. Mais toi aussi tu as peur. Et tu pars affronter le *yarimu*.

Je haussai les épaules.

— Ce n'est pas pareil.

— Pourquoi ?

En effet : pourquoi ? J'ouvris la bouche mais ne trouvai aucune réponse logique. Itia me mit la main sur l'épaule.

— Je vais t'accompagner, Tiko.

— Non.

— Alors je vais te suivre.

— Je te l'interdis.

— Tu ne peux rien m'interdire.

Encore une fois, elle avait raison. Et j'étais obligé d'admettre que sa présence, aussi insensée soit-elle, me faisait un plaisir incroyable.

Elle se pencha prestement au pied de l'arbre, se redressa, un arc et des flèches dans la main, et me dit tranquillement :

— Mettons-nous en route.

— Itia, que nous soyons bien d'accord : c'est moi qui commande.

— Tu es le chef, dit-elle avec un petit sourire malin.

Et, bien sûr, j'obéis : nous nous mîmes en route.

10

La première heure d'ascension fut la plus pénible. D'abord, le versant n'était fait que de pierres aux arêtes coupantes. Ensuite et malgré des mois passés à courir la forêt sans chaussures, mes pieds étaient encore ceux d'un Espagnol. Je commençai par me blesser un gros orteil, puis un talon, et je boitillais si piteusement que Itia eut pitié de moi – et put, par la même occasion, me prouver l'utilité de sa présence.

— Suis-moi, me dit-elle.

Elle me fit escalader deux hauts rochers noirs, derrière lesquels je découvris un sentier.

— Enfin, Itia… Pourquoi ne m'as-tu pas montré ce sentier plus tôt ?

Elle se frotta le bout du nez, faussement sérieuse, et répondit :

— Tu es le chef. C'est toi qui commandes.

***

Les tours et détours du sentier ralentirent notre progression et, quand le soleil fut haut dans le ciel, nous étions encore loin du sommet. La chaleur devenait étouffante, à peine supportable. Les pierres blanches la réverbéraient en la décuplant, les pierres noires l'accumulaient et il fallait prendre garde à ne pas poser la main sur un rocher, sous peine de s'y brûler la paume. Le mont de Wuhngin ressemblait à un enfer, un enfer grimpant vers le ciel.

Autour de moi, très loin, je découvrais l'étendue bleu-vert de l'océan, parsemée de copeaux de lumière, et, plus près, le lagon n'avait plus que la taille d'une flaque au milieu de l'anneau de terre et de forêt.

Éreinté, je m'assis à l'ombre d'un grand rocher et appelai Itia pour qu'elle m'y rejoigne. J'étais en sueur. Elle était aussi fraîche que si elle venait de se lever.

— Tu connais cette montagne ? lui demandai-je.

— Un peu.

— Alors est-ce que tu sais s'il y a une ou des grottes quelque part ?

— Oui. Nous y allons.

— Comment ça ?

— Ce sentier conduit aux grottes de Wuhngin, près du sommet.

— Tu y es déjà allée ?

— Personne ne va dans les grottes. C'est là que dorment les *yarimus* quand il fait jour. Il ne faut pas les réveiller.

Je la dévisageai un instant, me demandant comment on pouvait redouter des esprits auxquels on ne croit pas et ne voue aucun culte, ni pour les flatter ni pour s'en protéger.

— Itia… Qu'est-ce que tu penses des *yarimus* ?

Elle tritura une mèche de sa longue chevelure, le temps de réfléchir.

— Tu sais, je ne pense pas aux *yarimus*. Ils sont là, dans la montagne. Nous, nous sommes en bas, dans la forêt.

— Vous vous partagez l'île ?

— Non. L'île est à nous. Wuhngin l'a donnée aux hommes. C'est peut-être pour ça que les *yarimus* se fâchent quelquefois. Ils sont exilés parmi les pierres, ce ne doit pas être agréable pour eux.

— Tu avais déjà entendu parler d'un *yarimu* qui assomme une femme et qui incendie une habitation ?

Je regrettai aussitôt ma question. Le visage d'Itia se durcit au souvenir, tout proche, de la mort de sa mère et d'Omaata.

— Je pense comme toi, Tiko : ce *yarimu* n'est pas un vrai *yarimu*.

— Alors qu'est-ce que c'est ?

Elle se remit debout, rajustant l'arc sur son épaule nue, dorée, adorable.

— Nous allons le savoir, Tiko. Si nous marchons encore.

Un quart d'heure plus tard, Itia, qui m'avait distancé, cria :

— Tiko ! Viens voir !

Je hâtai le pas, tournai le coin du sentier, vis Itia agenouillée près d'un rocher blanc.

— Qu'est-ce que tu as trouvé ?

— Regarde.

Je m'accroupis à son côté. Elle me montrait le premier indice de notre quête : cinq pierres disposées en cercle et, au centre, quelques morceaux de bois noircis.

— Voilà, dis-je, un *yarimu* qui a eu besoin de se réchauffer ou de faire cuire quelque chose.

— Les *yarimus* ne mangent que des aliments crus.

— Justement.

Je me remis debout, jetai un coup d'œil circulaire. Le sommet du mont n'était plus très loin. L'océan, autour, devenait immense. Où que je me tourne : un seul horizon bleu.

— Nous sommes encore loin des grottes ?

Itia tendit le doigt vers le sommet.

— Là. Tout près.

Et c'est alors que claqua le premier coup de feu.

11

La balle frappa le rocher à côté de mon épaule. Je bondis sur Itia, et nous roulâmes au sol. Je sentis tout son corps contre le mien. À regret, je dus m'écarter d'elle et, l'agrippant par le bras, je l'obligeai à se mettre à l'abri du rocher.

Un autre coup de feu. Le rocher, cette fois, fut touché juste au-dessus de nos têtes.

— Couche-toi !

D'une bourrade, je jetai Itia à plat ventre.

— Ne bouge plus !

Et, le dos courbé, je courus de l'autre côté du sentier. Un autre rocher se dressait là, à une trentaine de mètres. Dans ma tête, je comptais : « Un… Deux… Trois… Quatre… » J'étais sûr (ou presque) d'avoir le temps de l'atteindre : on avait tiré deux fois coup sur coup, c'était donc qu'on s'était servi des deux arquebuses et qu'on devait maintenant prendre le temps de recharger. J'arrivai au rocher, me blottis sous un ressaut de pierre et attendis. « Quinze... Seize... Dix-sept... Dix-huit... »

La troisième balle s'enterra un mètre devant mes pieds. Dix-huit secondes. Le tireur avait mis dix-huit secondes pour recharger une arquebuse. Seul un soldat expérimenté était capable d'aller si vite. Maintenant, il s'agissait de savoir d'où il nous visait.

Je rampai lentement jusqu'à sortir la tête de l'abri. Je regardai rapidement vers le sommet du mont. Oui. Là. Je les devinais, plus noires que les pierres noires. Les grottes. Deux cents mètres environ. Le tireur était posté là, bien entendu. Je reculai derrière le rocher et j'eus raison : la quatrième balle siffla tout près de l'endroit où, deux secondes plus tôt, se trouvait mon crâne.

Réfléchissons. Il sait se servir d'une arquebuse. Il a l'œil sûr : chacun de ses tirs est plus précis. Mais il est nerveux, fébrile : il a tiré trop tôt sa première balle, il tire les suivantes sans aucune chance de succès. Quand je chassais avec mon père l'isard ou le sanglier dans la *sierra*, j'avais appris cette règle fondamentale : ne tirer la bête qu'en toute certitude. Ne jamais la manquer : on ne la retrouvera pas. Ne jamais la blesser : elle devient folle de rage, les chiens, fous de sang, et la chasse, une boucherie. Donc ce tireur n'a jamais chassé. C'est un soldat : il sait charger une arquebuse. C'est un *mauvais* soldat : il a tiré trop tôt et tirera jusqu'à l'épuisement des munitions, *parce qu'il a peur*.

J'appelai Itia :

— Reste où tu es ! Tout va bien ?

— Oui !

— Écoute-moi : je vais me montrer, il va tirer.

— Tu es fou !

— Écoute-moi, Itia ! Rappelle-toi : c'est moi le chef.

J'entendis, là-bas, de l'autre côté du sentier, un petit rire espiègle. Au moins, la situation ne la terrifiait guère.

— Tu es le chef ! cria-t-elle. Alors, chef ? Donne-moi tes ordres !

— Nous allons monter vers les grottes. Dès qu'il tire, tu sors de ta cachette. Tu comptes jusqu'à quinze et tu te caches derrière un autre rocher !

— Quinze ?

— Tu sais compter jusqu'à quinze, Itia ?

— Imbécile !

Sans répondre – ça n'en valait pas la peine, n'est-ce pas ? –, j'ôtai ma chemise, me redressai à moitié et l'agitai par-dessus le rocher. Le coup de feu partit. Je récupérai ma chemise, l'examinai : elle avait un trou gros comme le poing. Le tireur visait de mieux en mieux. Il faudrait être prudent, précis.

Cependant, Itia déboulait hors de sa cachette, traversait le sentier (je comptais à mi-voix : « … Dix… Onze… Douze… ») et courait vers un rocher en forme d'œuf, vingt mètres plus haut. « Dépêche-toi, Itia, dépêche-toi… Quatorze… Quinze… Seize… Cache-toi, Itia, cache-toi ! » Elle plongea sous le rocher quand je comptai dix-neuf et, à vingt, un coup d'arquebuse retentit, la manquant de très peu. J'eus le temps de voir l'étincelle de l'amorce, tout là-haut, à l'entrée de la troisième grotte, la plus étroite.

— Très bien, Itia ! Maintenant, je sais où il est ! Ne bouge plus ! Je te rejoins !

Et je quittai la protection du rocher, fonçant vers celui où Itia était blottie. C'est étrange : je ne sentais même plus les arêtes coupantes des pierres sous mes pieds nus. Je comptais douze quand l'arquebuse tira. Heureusement, j'avais déjà retrouvé Itia.

— Ça va?

— Ça ira mieux tout à l'heure. Quand on aura pris le *yarimu*.

— Ce *yarimu* a un drôle d'air.

— C'est-à-dire?

— Un air espagnol.

— Comme moi?

Elle me pinça le nez entre le pouce et son index replié.

— Toi, dit-elle en me regardant droit dans les yeux, tu es celui que je préfère.

— Comme *yarimu* ou comme Espagnol?

Elle me tordit le bout du nez.

— Comme garçon, dit-elle et elle haussa les épaules. Et maintenant? Qu'est-ce qu'on fait?

Excellente question.

— La même chose, répondis-je. Il tire. Et on a quinze secondes pour atteindre la prochaine cachette. On finira par arriver à la grotte.

— Et après?

— Après? On verra. On verra quelle est la tête du *yarimu*.

— Et si sa tête est espagnole?

— Il la perdra quand même.

***

Notre stratégie, pourtant minimale, fonctionna à merveille. En une demi-heure, nous parvînmes sous l'entrée de la grotte et le tireur avait gaspillé la plupart de ses munitions, sans jamais nous toucher, sauf d'un éclat de pierre qui érafla l'épaule d'Itia – je posai immédiatement mes lèvres sur la blessure, en aspirai le sang, le recrachai, en aspirai le sang, le recrachai, et elle dut m'administrer une gifle sur le crâne pour que je cesse.

— Je survivrai, me dit-elle.

Auparavant, courant d'abri en abri, de rocher en rocher, j'avais eu le temps de réfléchir à des choses, sinon plus sérieuses, du moins plus urgentes, que mon envie de *jouer* avec Itia. Et surtout à celle-ci : qui pouvait être à la fois assez bon soldat pour recharger ses arquebuses avec une telle rapidité, et si piètre combattant pour les décharger en vain, l'une après l'autre, balle après balle ? J'étais désormais à peu près sûr que ce *yarimu*-là était en effet un Espagnol, et je me dis qu'il avait dû devenir fou d'isolement pour se conduire de la sorte.

Mais il n'était plus temps de réfléchir ni de plaisanter avec Itia. Nous devions mettre au point l'assaut final.

— Qu'est-ce que tu sais de ces grottes ? demandai-je. Est-ce qu'elles communiquent entre elles ? Est-ce qu'elles ont une sortie sur l'autre versant du mont ?

Les coins de la bouche d'Itia se contractèrent, s'abaissèrent vers le menton.

— Je n'en sais rien.

— Dommage, mais tant pis. Il faut risquer la chance.

Je lui expliquai mon plan : elle resterait là, l'arc bandé, prête à décocher une flèche si jamais le tireur se montrait hors de la grotte ; pendant ce temps, je contournerais le sommet du mont pour chercher un passage, et prendre ledit tireur à revers.

— Et s'il n'y a pas de passage ?

— Je me serai trompé. Bon. J'y vais.

— Attends.

J'attendis. Elle rampa jusqu'à moi, frotta son nez sur mon nez.

— Pour ta chance, dit-elle.

Quand je tentai d'attraper ses lèvres avec les miennes, elle s'écarta et, me regardant droit dans les yeux, se mit à rire.

12

Je suis accroupi et je cours. À tout petits pas. Ridicules mais nécessaires. Le tireur ne doit pas me voir du haut de son observatoire : l'entrée de la grotte, qui domine tout le versant.

Dix mètres. Trente mètres. Cinquante. Cent. Voilà. Il n'a pas tiré. Je suis hors de vue. Si tout va bien, il ne s'est pas même aperçu que je suis en train de contourner le sommet de la montagne. Il me croit toujours cinquante pas au-dessous de l'entrée de la grotte. Où se trouve Itia.

Itia, Itia… Itia que j'aime et qui me fais rire, et qui me fais bêtement battre le cœur, et qui as des seins si ronds et si hauts qu'ils pointent, insolents, malgré l'épaisseur de ta chevelure jetée sur ta poitrine, Itia, s'il te plaît, ne bouge pas, attends-moi.

***

Immense muraille de roc qu'aucun homme n'avait jamais escaladée, le versant sud du mont de Wuhngin dévalait à pic vers l'océan, et, dès que je m'y engageai, je fus pris de vertige. Je me collai le dos à la paroi, mes pieds reposant sur une étroite corniche, et je crus que je ne pourrais jamais plus bouger. Ni revenir ni continuer. Il me sembla qu'une force surnaturelle m'attirait vers le vide, vers le bleu lumineux de la mer, cinq ou six cents mètres plus bas. Je fermai les yeux, tentai de me raisonner, crus y être parvenu, rouvris les yeux… et les refermai aussitôt. J'étais trempé de sueur. Je n'étais plus maître de mon corps.

Peut-être serais-je resté là jusqu'à ce que l'épuisement me vainque, si deux coups, très rapprochés, d'arquebuse n'avaient alors retenti.

Itia.

Il tirait sur Itia. Ma main droite découvrit une prise dans le rocher, je m'y agrippai de tous mes doigts et réussis à me tourner face à la paroi, malgré la sueur de panique qui rendait glissants mes pieds nus. La joue contre la pierre, je ne voyais plus le vide mais je le sentais dans mon dos, toujours aussi sournois, m'attirant à lui.

Avancer. Il suffisait d'avancer. Lentement. Posément. Intelligence et méthode. Je me déplaçai encore d'un demi-mètre sur la droite, trouvai d'autres prises au-dessus de moi, mes pieds, eux aussi, en trouvèrent, et bientôt j'oubliai le vertige, l'esprit seulement occupé à placer mes mains et mes pieds aux bons endroits, comme si la paroi n'était plus un adversaire invincible mais le prolongement de mon corps et la condition de ma survie.

Dix mètres plus haut, c'était presque devenu facile. Je grimpais. Je grimpais comme un lézard, le ventre collé à la paroi. J'arrivai à un ressaut qui formait une corniche assez large pour que je m'y assoie. Je pris le temps de me reposer et d'inspecter le versant, aux alentours.

Je ne m'étais pas trompé. À une quinzaine de mètres, au-dessus et à droite, s'ouvrait l'entrée d'une grotte. Machinalement, je vérifiai que mon couteau était bien fixé à ma ceinture et je repris l'escalade.

***

Quelques minutes plus tard, j'atteignais l'entrée de la grotte.

C'était un simple trou dans le rocher : juste l'espace nécessaire pour qu'un homme s'y glisse en rampant. Ce que je fis aussitôt.

Mais, plus je m'éloignais du vide, plus je voyais naître en moi une autre peur, inverse mais semblable : le passage s'était rapidement rétréci, à tel point que pour ramper dans ce boyau qui sentait l'humidité je m'écorchais les épaules. Et si le passage devenait si étroit que je ne pourrais plus avancer ? Comment allais-je revenir ? Impossible de me retourner. Et j'imaginais combien il serait difficile de ramper à reculons.

Je respirais avec de plus en plus de difficulté. Je ne crois pas que l'air manquait ; je crois que le boyau devenait si mince et si obscur que la peur d'y rester bloqué me faisait suffoquer. Heureusement, mon corps, comme lorsqu'il m'avait aidé à franchir la paroi, n'obéissait plus qu'à sa propre logique : agir, pour rester en vie. Plus j'avais peur, plus je rampais vite – mes épaules, mes coudes et mes genoux saignaient.

Quand je vis une lueur de jour devant moi,

je me mis soudain à respirer mieux. Le boyau s'élargit brusquement, je rampai encore quelques mètres, par automatisme, avant de comprendre que, désormais, je pouvais m'accroupir. Je m'immobilisai, me redressai à demi, pris le couteau dans ma ceinture, l'assurai fermement dans mon poing. Allons-y.

Il s'agissait à présent de progresser en silence. Si je me trouvais, comme je l'espérais, dans la grotte où s'était retranché le tireur, il ne fallait pas qu'il m'entende.

Je franchis un coude du passage et dus fermer les paupières. Le jour éclatant à l'entrée de la grotte, quelques mètres devant moi, m'avait ébloui. Je rouvris les yeux.

Il était là. En position de tireur couché. Une arquebuse pointée.

Cette partie avancée de la grotte formait une assez vaste salle circulaire. Je remarquai dans un coin un lit de palmes, dans un autre diverses panières de légumes et de fruits. C'était donc l'antre de notre *yarimu*.

Avec précaution, je m'approchai, le couteau brandi. Tout occupé à chercher une cible à atteindre, l'homme ne se méfiait pas. Je parvins à un mètre derrière lui.

C'était très simple, à présent : me jeter sur

lui et l'égorger. Cet homme avait tué Omaata et la mère d'Itia. À cause de lui, une guerre couvait dans l'île et les trois quarts des indigènes souhaitaient ma mort. Il nous avait tiré dessus, Itia et moi, et nous avait manqués de peu.

Donc j'étais là. Mon couteau dans le poing.

Et j'étais incapable d'accomplir ce que j'étais venu faire, au prix de tant d'efforts. J'étais incapable de tuer un homme de sang-froid, par surprise.

13

— Toi !

Voilà. J'avais parlé. Je ne m'étais pas jeté sur lui, je n'avais pas usé de mon couteau. J'avais parlé. Comme le fait un être humain quand il doit résoudre un conflit avec un autre être humain, quelle que soit la qualité de ce dernier. On ne tue pas. On parle. On discute.

L'homme réagit comme je le craignais : il roula sur lui-même et voulut pointer sur moi son arquebuse. Par chance, ces intruments sont lourds et mal équilibrés, et j'avais anticipé sa réaction. D'un coup de pied, je le frappai au ventre et, de ma main libre, je saisis le canon de l'arquebuse. Puis je mis violemment la plante de mon pied sur sa gorge. Il émit un cri étouffé, appuya sur la détente de l'arme, le coup partit, faisant voler en éclats un peu de pierre au plafond de la grotte. J'appuyai mon pied plus fort : il lâcha l'arquebuse, écartant les bras, en signe de reddition.

Je jetai l'arme derrière moi et, lentement, je relâchai l'appui de mon pied sur sa gorge.

— Tu te rends ?

Il acquiesça en hochant vivement la tête. Je retirai mon pied, reculai et dis :

— Reste allongé. Ne bouge pas.

Il se laissa aller, les bras écartés, comme s'il était soulagé, délivré. Une énorme barbe noire, une chevelure longue et hirsute lui mangeaient le visage, un visage dont tout un côté était brun, sclérosé, comme attaqué par une maladie ou une blessure mal soignée.

— Qui es-tu ? demandai-je et, alors même que je posais la question, je le regardai dans les yeux et ne voulus pas croire l'évidence.

— Tu… ne… le… sais… pas ?

Il parlait d'une voix très lente, et pâteuse, comme un homme qui n'a plus parlé depuis des éternités. Je reculai encore de quelques pas, horrifié.

— Si, répondis-je. Si. Je le sais.

Il se redressa sur les coudes, péniblement.

Dans les poils emmêlés de sa barbe, sa bouche forma plusieurs mots à vide, comme si elle essayait de recouvrer le langage des humains. Il dit enfin :

— Le destin de deux frères... Tous deux oubliés sur une île... Une île oubliée de Dieu...

Il s'assit, repliant ses jambes.

— Tu as toujours su mieux te faire aimer que moi, petit frère... Tu sais pourquoi ?

Je haussai les épaules. Cette conversation me semblait irréelle. Je regardais cet homme, ce *monstre*, pensais-je, méconnaissable, et j'essayais d'y superposer l'image de Felipe, mon frère, beau jeune homme efféminé à la moustache insolente.

— Parce que ton corps et tes nerfs ne t'ont jamais trahi... Parce notre père t'a élevé pour tenir ta place dans ce monde... Alors que ma mère, petit frère, celle que tu as tuée en naissant, m'avait élevé pour un autre monde, un monde de beauté et d'intelligence... Un monde d'imagination... Mais, l'imagination, petit frère, c'est une chose qui te dépasse, n'est-ce pas ?

Il se leva lentement, se tâtant la gorge.

— Tu n'as rien à répondre, Diego ? Ou est-ce que je dois t'appeler : Tiko ?... Oui, mon frère, quand j'ai enfin eu retrouvé mes forces après des semaines passées ici, à manger des insectes et des racines, alors que la blessure que ta flèche m'a infligée me dévorait la langue et la moitié du visage – oui, après toutes ces souffrances, je suis descendu voir les sauvages. Et je t'ai vu parmi eux. Un sauvage parmi les sauvages. Tu m'as fait honte.

Se massant les reins, il se mit à marcher de long en large dans la grotte.

— Et puis, je n'ai pas eu de chance. Mais, la chance et moi… N'est-ce pas, Diego-Tiko ? Dans la famille Torre Santo, la chance et l'amour n'ont pas été partagés équitablement. Tu en as eu la meilleure part. Un jour que je faisais provision d'eau à la source, une femme m'a surpris. Que voulais-tu que je fasse ? J'ai dû l'assommer. Il semble que je ne l'aie pas tuée. Tant mieux pour elle. En revanche, j'ai dû poignarder ce grand sauvage quand je suis tombé nez à nez avec lui. Un de moins…

Il s'éloigna, tout en parlant, vers le fond obscur de la grotte. Je ne trouvais rien à dire, rien à répliquer. Une tristesse comme je n'en avais jamais connu me rendait aussi muet qu'absent. Je me rendais compte que tout, *tout*, aurait dû me souffler que le *yarimu* était mon frère. Je n'y avais pas pensé un seul instant.

— J'étais là... Je descendais de mon enfer de pierres et je venais t'espionner, oui, ou te contempler peut-être, contempler le bonheur que tu traînes derrière toi comme ton esclave, où que tu sois, quoi qu'il t'arrive... Oui, Diego : j'ai toujours été jaloux de toi et, sans cette jalousie violente, ardente, peut-être que je me serais laissé mourir dans cette grotte, par désespoir... Mais tu étais là, petit frère, tu vivais comme un sauvage parmi les sauvages, tu étais beau, fort, tu nageais, tu courais, tu chassais – et tout ce que tu faisais, tu le faisais bien... C'était insupportable...

Je l'apercevais à peine, au fond de la grotte. Mais sa voix, métallique, haineuse et ironique, me frappait comme s'il s'était tenu tout près de mon oreille.

— J'ai vite remarqué cette fille de sauvage dont tu t'es amouraché... Je reconnais qu'elle peut paraître belle, quand comme toi on aime les sauvages... Alors, la nuit dernière, j'ai mis le feu à sa case... Pour que tu apprennes enfin le malheur, et le deuil, pour que tu cesses de me narguer avec ta chance et ta force... J'étais là... Caché... Et je t'ai vu... Je t'ai vu faire le héros... Je t'ai vu toujours aussi fort, toujours aussi chanceux... Même le feu n'a rien pu contre toi...

J'entendis un bruit de métal, ne m'en inquiétai pas, vis Felipe – le fantôme de Felipe: maigre personnage en haillons au visage d'ermite fou – s'avancer lentement vers moi.

— Et même les arquebuses... Je ne suis pas mauvais tireur, pourtant... J'aurais volontiers tué ton Itia, d'une balle en pleine tête... Et toi plus tard, le temps que le chagrin te ronge... Mais tant pis... Le monde d'ici-bas est fait pour les gens comme toi. Pas pour moi... C'est dommage. J'aurais pu t'aimer, petit frère...

— Felipe...

— Trop tard, chantonna-t-il absurdement.

Et il était à deux mètres de moi, et brandit l'épée qu'il était allé prendre dans le fond de la grotte. Il se mit en garde, selon les règles que nous avait enseignées notre maître d'armes. Ma première pensée fut simplement qu'il était ridicule, avec sa barbe de six mois, ses cheveux fous, ses haillons et cette épée à l'acier brillant – comme s'il l'avait entretenue chaque jour, frottant et polissant le métal au lieu de frotter, raser et nettoyer son propre corps, son visage.

— Tu te rappelles ce dernier duel que nous avons eu, il y a des années, en présence de notre père ? Tu avais huit ans, tu n'étais qu'un gamin, et tu m'as humilié... Nous allons jouer la revanche...

— Felipe... Je n'ai qu'un couteau.

— C'est bien assez. Tu es si fort, si habile, si aimé des dieux et des hommes... Laisse-moi ce petit avantage...

Je réassurai le couteau dans mon poing. Felipe pointait sa lame à quelques centimètres de mon visage. Je n'y croyais pas. C'était trop stupide.

— En garde !

Il se fendit soudain. Je m'écartai juste à temps : la pointe de l'épée m'aurait ouvert le front. Felipe grogna de dépit, ou de rage, et se jeta sur moi, l'épée haute.

Je parai son coup de taille sur la lame de mon couteau, et me dégageai.

— Felipe, je t'en prie ! Je ne veux pas te tuer.

— Mais moi, si, petit frère... Oh, si tu savais comme j'en ai envie...

Il repartit à l'assaut. J'évitai plus que je ne parai ses coups. Ma lame était trop courte. Une simple erreur de jugement, et j'aurais aussi bien pu me faire trancher le poignet. Je me déplaçais de côté, la tête rentrée dans les épaules, les pieds bien plantés au sol, prêt à bondir à l'écart dès la moindre attaque.

— Felipe…

Il tentait à présent des coups sans préparation, sûr de son avantage. Plus question d'escrime. C'était un assaut de guerre. Sa lame sifflait tout près de mes oreilles, de mes épaules.

Je ne lui échapperais pas toujours.

Il fallait que je choisisse le risque, que j'accepte le combat.

À son assaut suivant, je parai, et, Dieu merci, réussis à contrer son épée, dans la garde de mon couteau. Je poussai de toute mon énergie. Lui aussi. Il tenta de gagner par la force. Il n'avait aucune chance, malgré mes quatorze ans, ses vingt et un. Il n'était qu'un dément amaigri par des mois de solitude et de privations, j'avais passé ces derniers mois à nager, courir et chasser comme un homme de Hao.

Il plia. Il mit un genou à terre, sa lame prisonnière de ma garde, je le frappai du poing en plein visage, il tomba à la renverse. Après, ce fut un jeu d'enfant de m'accroupir sur sa poitrine, de lui arracher son épée et de lui poser mon couteau sur la gorge.

— Maintenant, Felipe, le combat est terminé. Tout est terminé. Calme-toi, je t'en prie.

— Jamais… Jamais, petit frère… Égorge-moi tout de suite… Délivre-moi de toi… Délivre-toi de moi…

Nous sommes restés un moment ainsi, lui étendu à plat dos sur le sol, les bras en croix, moi le chevauchant, mon couteau appuyé sur sa gorge. Son regard – la seule chose en lui qui lui ressemblait, rappelait le Felipe que j'avais connu – me défiait.

— Vas-y, petit frère… Vas-y… N'hésite plus…

J'écartai la lame. Je me redressai.

— Non.

Je le regardai encore, si vulnérable et maigre, étendu sur le sol. Et ses yeux bleus, fiévreux, qui me haïssaient.

— Non, répétai-je.

— Pourquoi, petit frère ?

— Si je te tuais, tu aurais gagné. Puisque c'est ce que tu cherches.

— Ah… Et ça te déplairait, n'est-ce pas ? Il faut que tu gagnes à tous les coups… Tu ne m'accorderas même pas ma mort comme victoire ?

Il n'y avait plus à discuter. On ne discute pas avec les fous. Je ramassai l'épée, jetai un dernier coup d'œil autour de moi, me dirigeai vers l'entrée de la grotte et dis, sans y croire :

— On va trouver le moyen de tout arranger, Felipe. Tu verras : sur cette île, on peut apprendre le bonheur.

La lumière de midi m'éblouit. C'était cela, le bonheur : tant de lumière, la clémence du climat. Je me sentis soudain très fatigué.

Quand je vis Itia, elle surgissait devant moi, l'arc bandé. La pointe de la flèche était pointée droit sur mon front.

— Itia ! Tu es folle !

Je me jetai sur le côté. Itia ouvrit les doigts, la flèche fila et j'entendis un cri.

— Itia ! Qu'est-ce qui t'a pris ?

Elle laissa tomber l'arc à côté d'elle. Elle tendit la main vers l'intérieur de la grotte :

— Vois.

Je vis. Je me retournai et je vis Felipe titubant, accroché d'une main à la hampe de la flèche qui lui avait traversé la gorge, agrippant de l'autre une arquebuse.

— Ne tourne jamais le dos à un *yarimu*, me dit Itia. Il n'est pas loyal.

Le fou hirsute et barbu s'effondra, et je ne m'approchai pas de lui avant d'être sûr qu'il soit mort. C'est Itia qui, la première, vint constater la fin du *yarimu*. Sans répugnance, avec tranquillité, elle posa l'oreille sur sa poitrine et, après un moment, elle se redressa et me dit :

— Il a cessé de faire du mal.

Hochant vaguement la tête, je m'agenouillai près du cadavre, lui pris la main et me mis à prier.

— Qu'est-ce que tu fais, Tiko ?

— Je lui dis adieu. Et je l'aide à nous quitter.

— Tu vois : ce *yarimu* était un Espagnol. Tu le connaissais ?

— Non, dis-je d'emblée.

Puis je dis :

— Oui.

— Tu le connaissais ou pas ?

Je pris Itia par l'épaule, lui caressai le dos, me sentis plus calme quand j'eus volé assez de douceur sur sa peau.

— Rentrons. Il faudra lui donner une sépulture.

— Jetons-le à la mer. C'est tout ce qu'il mérite.

Je frottai doucement mes lèvres sur son front et répondis :

— Jetons-le à la mer. Il n'aimait pas cette île.

14

Nous avons fabriqué une civière à l'aide des palmes et des branches dont Felipe s'était fait un lit. Nous l'avons descendu le long du sentier, deux heures durant, en pleine chaleur, jusqu'à la forêt. J'ai insisté pour que nous passions par l'est, par les habitations où se trouvaient mes ennemis.

C'était l'heure de la sieste. Nous ne faisions aucun bruit, et pourtant ils se sont tous réveillés. Ils sont sortis sur le chemin et nous ont vus, portant la dépouille du *yarimu*. Je ne sais pas si quelques-uns d'entre eux ont compris que c'était un Espagnol. Ils n'avaient jamais vu un homme, encore moins un cadavre, avec une telle barbe et une telle chevelure. Ce que je sais, c'est qu'ils nous ont laissé passer sans encombre.

Et qu'il n'y eut jamais de guerre entre eux et mes amis.

Nous avons porté le corps de Felipe jusqu'à la grande plage de la baie. À ce moment, Mehani, Mehoro, Tetouhani, Timi et beaucoup d'autres nous escortaient en silence. Nous avons mis Felipe dans une pirogue, que nous avons poussée à l'eau. Alors, Mehani, Mehoro et Timi nous ont rejoints, nous ont aidés à pousser la pirogue, puis à pagayer pour franchir la barrière de corail et atteindre le large.

Épilogue

Aujourd'hui, l'Espagne est un pays qui n'a existé que dans mes rêves. Je vais avoir trente ans et je me rappelle mon enfance comme un conte qu'on m'aurait fait, dont rien ne ressemble à ma réalité de tous les jours. Par exemple : je me rappelle la neige et le froid, et le froid de la neige quand je la mettais en boule dans ma main, et le froid des flocons qui me tombaient sur le nez, dans le cou. Mais c'est comme un songe. Il y a trop de chaleur, de soleil et de sable autour de moi pour que je croie encore à l'existence de la neige.

Itia est ma femme, et nous avons deux filles qui sont déjà aussi grandes que moi, aussi rebelles que leur mère. Tetouhani est un vieillard tranquille et sec comme un bâton ; il vient souvent me voir, et nous nous asseyons sous la véranda, et nous prononçons une phrase toutes les cinq minutes – nous nous entendons bien.

Il y a plusieurs années qu'une assemblée sous le banian m'a élu cacique de l'île, mais je n'abuse pas de mon pouvoir puisque je n'en ai pas. Je n'ai d'autorité sur personne – et encore moins sur mes propre filles ! Quand il y a un conflit, un litige, on vient me consulter. Je prends longuement l'avis des deux parties, je confère avec leurs amis et leurs proches, et un jour, sous la solennité du grand banian, je donne mon opinion. Personne n'est obligé de la suivre. Je dois dire, sans modestie, que jusqu'à présent on s'est toujours rangé à mon avis.

Il y a une dizaine d'années, des navires espagnols apparurent à l'horizon et relâchèrent dans la baie. Je ne me montrai pas. Je dis à Mehani de jouer mon rôle, celui du cacique. Je lui dis aussi qu'il le ferait à sa façon, que je n'avais aucun conseil à lui donner mais que je voulais d'abord voir qui commandait l'expédition.

Je me cachai à la lisière de la forêt quand les chaloupes abordèrent. Mon cœur battait d'espoir et d'appréhension.

Les hommes prirent pied sur la plage, arquebuses en main. Celui qui les commandait n'était pas mon père. Alors je dis à Mehani d'agir comme il l'entendait.

Il me prit au mot.

Il avait armé tous les guerriers de l'île. Les Espagnols furent accueillis d'une averse de flèches. Ils battirent en retraite, remirent en hâte les chaloupes à l'eau. Une heure plus tard, les navires levaient l'ancre. On ne les revit plus.

Je savais – mais je ne pouvais le dire à mes amis – que les Espagnols, ou d'autres Européens, reviendraient. Nombreux. Armés. Déterminés. Que nous ne les repousserions pas toujours. Je savais que nous vivions un bonheur fragile. Je savais que les Européens détestent le bonheur.

Peu importe. Nous vivions tranquilles, pour l'instant. Je regardais grandir mes filles.

L'une s'appelle Omaata, l'autre Felipa. J'ai imposé ce prénom, et Itia m'en a longtemps voulu.

Je crois qu'aujourd'hui elle m'a pardonné. Felipa ne ressemble en rien à Felipe. La semaine dernière, elle m'a battu à la course et a attrapé avant moi un poisson à mains nues. Et elle rit.

Je n'ai jamais vu rire quelqu'un avec tant de joie. Pour rien. Pour le plaisir d'être là.

***

Il y a trois jours, nous avons vu approcher cinq navires à voiles. Nous nous sommes précipités sur la plage. Les jeunes gens, déjà, voulaient mettre les pirogues à la mer et aborder ces étrangers, ces ennemis. Je leur ai dit :

— Est-ce que ce sont des étrangers ? Oui. Est-ce que ce sont des ennemis ? Vous n'en savez rien.

Ils ont reconnu que je n'avais pas tort, peut-être simplement parce que je suis assez solide et agile encore pour leur inspirer du respect. Les jeunes gens d'ici ne sont pas très différents des jeunes gens d'Espagne – de ma propre jeunesse : ils ne croient qu'à leur jeunesse, et à la force qui les déborde.

***

Depuis trois jours, les cinq navires espagnols mouillent en face de la grande plage. Leurs soldats sont très nombreux et se sont emparés de la moitié de l'île en quelques heures. Nous nous sommes retranchés sur le mont de Wuhngin. J'ai établi mon camp dans les grottes.

J'ai passé ces deux dernières nuits à écrire ce récit. Afin qu'il reste quelque chose de mon expérience quand les envahisseurs nous auront soumis. Je ne pense pas qu'ils me laisseront longtemps la vie sauve. Je m'en moque. J'ai vécu ce que j'avais à vivre.

Je ne regretterai qu'une chose : le bonheur que j'ai découvert sur cette île disparaîtra avec nous.

Le monde appartient à ceux qui le détruisent. C'est dommage, mais c'est ainsi.

Les données ethnologiques et historiques de ce roman sont tirées pour l'essentiel de *La Dernière Île*, Joël Bonnemaison, Arlea/ORSTOM, 1986.

Quant aux noms des habitants de Hao, je les ai pris, en hommage, dans un roman qui a fasciné mes quatorze ans, *L'Île*, de Robert Merle (Gallimard, 1962).

Christian de Montella

Christian de Montella

L'auteur est né en 1957, a fait des études de lettres et de philosophie. Père de trois fils, il a exercé différents métiers aussi nombreux que variés, avant de choisir l'écriture : ouvrier agricole, comédien, moniteur de sport, attaché d'administration... À ce jour, il a déjà publié des romans au Seuil, chez Gallimard, chez Fayard et chez Stock. Il écrit également pour les enfants à L'École des Loisirs, à Je Bouquine, chez Bayard et au Livre de poche jeunesse.

Alexis Chabert

L'illustrateur de la couverture est né en 1962, à Paris. Sa mère est institutrice et son père ciseleur-graveur (il restaure des meubles anciens).

« Très tôt mon père m'apprend à dessiner (puisque j'aimais ça). Tout en arrivant péniblement jusqu'au bac, j'étudie la guitare classique et l'harmonie au Conservatoire. Après un bref passage aux Beaux-Arts, j'hésite entre devenir professeur de guitare ou bien de dessin. Finalement, je suis engagé dans un studio de publicité où je me fais les dents, et pendant dix ans exerce la profession d'« illustrateur-roughman ». Parallèlement je réalise quelques couvertures dans l'édition (Albin-Michel, Hachette, France Loisirs), et tente quelques projets de bande dessinée. En 1994, je signe chez Delcourt un premier album BD, *Rogon le Leu*... Mes dessinateurs de BD préférés sont Vuillemin, Binet, Lauzier, Pétillon, N. de Crécy, mes héros préférés Tintin et Astérix, mes peintres préférés Turner, G.D. Friedrich, Boticelli, et G. Doré. »

Castor Poche, des livres pour toutes les envies de lire: pour ceux qui aiment les histoires d'hier et d'aujourd'hui, ici, mais aussi dans d'autres pays, voici une sélection de romans.

832 Les insurgés de Sparte **Senior**
par Christian de Montella
À Sparte, la loi impose de n'avoir que des enfants vigoureux. L'un des jumeaux de Parthénia est si frêle qu'elle le confie en secret à une esclave émancipée. Mais les deux frères vont se retrouver et s'affronter...

831 Les disparus de Rocheblanche **Junior**
par Florence Reynaud
Au IXème siècle, les habitants de l'Aquitaine vivent dans la terreur des vikings, qui saccagent les villages et enlèvent les enfants... Eglantine et son petit frère sont ainsi vendus comme esclaves.

830 Chandra **Senior**
par Mary Frances Hendry
À onze ans, Chandra est mariée, suivant la tradition indienne, à un jeune garçon qu'elle n'a jamais vu. Après leur rencontre, ce dernier meurt brutalement: Chandra est accusée de lui avoir porté malchance.

829 Un chant sous la terre **Junior**
par Florence Reynaud
Isabelle a douze ans et doit travailler à la mine pour aider sa famille. Mais elle a un don, sa voix fait frémir d'émotion quiconque l'entend chanter. Une terrible explosion bloque Isabelle dans la mine, son don pourra-t-il alors la sauver ?

828 Léo Papillon **Junior**
par Lukas Hartmann
Léo, huit ans, souffre de sa maladresse. Il aimerait être léger et beau comme un papillon. Son rêve consiste alors à s'enfermer dans un cocon de fils multicolores, en attendant la métamorphose...

827 La chance de ma vie **Senior**
par Richard Jennings
Quand on a douze ans, recueillir un lapin blessé semble bien naturel, voir banal. Pourtant, Orwell est plus qu'un animal... c'est une chance!

825 Temmi au Royaume de Glace **Junior**
par Stephen Elboz
Les soldats de la Reine du Froid ont enlevé Cush, un ourson volant qui vit dans la forêt près de chez Temmi. Temmi les suit au Château des Glaces, où toute chaleur est proscrite. Mais des insoumis organisent une rébellion.

824 Les maîtres du jeu **Senior**
par Roger Norman
Edward a douze ans. Il découvre chez son oncle un jeu de société qui renferme un mystérieux secret. Il se retrouve plongé dans un terrible engrenage, où le jeu et la réalité se rejoignent.

823 Akavak et deux récits esquimaux **Senior**
par James Houston
Akavak, Tikta'Liktak et Kungo l'archer blanc sont esquimaux. Dans l'univers rigoureux du grand Nord, ces héros doivent lutter pour survivre: découvrez leurs trois aventures au pays des icebergs...

821 Ali Baba, cheval détective **Junior**
par Gisela Kaütz
Pendant une représentation du cirque Tenner, quelqu'un a dépouillé les spectateurs de leurs portefeuilles. Sarah, la fille du directeur, découvre le butin caché dans le box de son cheval Ali Baba. L'enquête est ouverte...

820 **L'étalon des mers** **Senior**

par Alain Surget
Leif et son père Erick, bannis de leur village de vikings, embarquent sur un drakkar avec Sleipnir, leur magnifique étalon. Leur voyage les conduit d'abord au Groenland, où ils font la connaissance des Inuits.

819 **Mon cheval, ma liberté** **Junior**

par Métantropo
Aux Etats-Unis en 1861, la guerre de Sécession fait rage. Amidou, jeune esclave noir, s'occupe des chevaux d'une plantation. Lui seul peut approcher Stormy, le fougueux étalon, ce qui déclenche la jalousie du fils aîné.

818 **Une jument dans la guerre** **Senior**

par Daniel Vaxelaire
Pierre, fils de paysan dans la France napoléonienne, rêve de devenir un héros. Il part rejoindre les troupes de l'Empereur qui se battent en Italie. Le chemin n'est pas sans danger mais le destin met sur sa route une jument qu'il adopte et baptise... Fraternité.

817 **Pianissimo, Violette!** **Senior**

par Ella Balaert
Violette a dix ans et vient de déménager. Elle se fait bien à sa nouvelle vie. Le seul problème, c'est son professeur de piano : “Le Hibou” lui mène la vie dure et pourtant Violette s'applique !

816 **Pas de panique!** **Senior**

par David Hill
Rob adore les randonnées en haute montagne. Il est loin d'imaginer qu'il va falloir assurer pour six ! Car le guide de son groupe meurt brutalement... facile de dire “pas de panique” dans ces conditions.

815 Plongeon de haut vol **Senior**
par Michael Cadnum
Bonnie pratique le plongeon de compétition. Un jour, elle se cogne la tête contre le plongeoir et depuis n'arrive plus à plonger. En plus, son père est accusé d'escroquerie…

814 Et tag! **Senior**
par Freddy Woets
Vincent a une passion : peindre, dessiner et surtout taguer. Mais le jour où Alma se moque de son dernier tag en le traitant de ringard, Vincent est profondément vexé…

810 Une rivale pour Louisa **Junior**
par Adèle Geras
Louisa déteste la nouvelle du cours de danse : elle est trop douée! Un chorégraphe vient recruter de jeunes danseurs : et s'il ne choisissait que Bernice? Heureusement, la chance et l'amitié triompheront de leur rivalité.

809 Louisa près des étoiles **Junior**
par Adèle Geras
Louisa rêve d'assister à une représentation de Coppélia, mais les billets sont chers, et de toute façon, il ne reste aucune place ! Heureusement, la chance lui sourit : Louisa va même pouvoir rencontrer les danseurs étoiles!

808 Le secret de Louisa **Junior**
par Adèle Geras
Tony, le nouveau voisin de Louisa, est doué pour la danse, mais il est persuadé que seules les mauviettes font des entrechats. Pour cultiver ce talent caché, la petite « graine de ballerine » a une idée en tête…

807 **Les premiers chaussons de Louisa** **Junior**
par Adèle Geras
Louisa en rêvait depuis des mois : à huit ans, elle enfile enfin ses premiers chaussons de danse! En attendant de faire une grande carrière, il faut travailler sans relâche pour le gala de fin d'année. Louisa deviendra-t-elle une vraie « graine de ballerine » ?

805 **Ménès premier pharaon d'Egypte** **Senior**
par Alain Surget
Héritier du trône, Ménès doit braver mille dangers pour prouver qu'il est digne du titre de premier pharaon d'Egypte. Saura-t-il affronter ses ennemis, et devenir le Maître des Deux Terres ?

804 **Jalouses!** **Senior**
par Christian de Montella
Comment Simon aurait-il pu deviner que sa copine de bac à sable était devenue une véritable top-model ? Comment aurait-il pu éviter la crise de jalousie de Véronique, sa petite amie ?

803 **Baisse pas les bras papa!** **Junior**
par Christine Féret-Fleury
Depuis que Papa est au chômage, les fous rires, c'est terminé ! Au menu : soupe à la grimace. Il n'y a plus qu'une solution : l'aider à retrouver du travail.

802 **De S@cha à M@cha** **Senior**
par Rachel Hausfater-Douieb et Yaël Hassan
Sacha envoie des emails, comme des bouteilles à la mer, à des adresses imaginaires. Jusqu'au jour où Macha lui répond. Une véritable @mitié va naître de leurs échanges.

801 Rendez-vous dans l'impasse **Senior**
par Kochka
« Une histoire d'amour dont vous êtes le héros » : c'est le sujet de la prochaine rédaction de Marie. Partie à la recherche de l'inspiration, Marie débouche dans une impasse, où elle aperçoit un garçon qui s'enfuit en la voyant…

800 La main du diable **Senior**
par John Morressy
Béran veut être jongleur itinérant. Mais sur les routes du Moyen-Age, le diable rôde aussi : un jour, il lui propose de devenir le plus grand jongleur du monde… en échange de son âme!

799 La révolte des Camisards **Junior**
par Bertrand Solet
1685: révocation de l'Edit de Nantes. Près d'Alès, Vincent, jeune drapier et rebelle protestant, est aimé de la belle Isabeau. Trahi par un ami jaloux, il s'engage aux côtés des « Camisards » pour défendre sa religion.

798 Louison et monsieur Molière **Senior**
par Marie-Christine Helgerson
Louison a dix ans quand Molière la choisit pour jouer dans sa dernière pièce. Et pas n'importe où ! À la Comédie Française, devant la cour du Roi Soleil…

797 Les gants disparus **Senior**
par Marie-Claude Huc
Millau, capitale du gant, fin 1918. Irène, quatorze ans, jeune ouvrière douée de la ganterie Palliès, est fière de son travail... Mais un vol vient semer le trouble dans la petite ville…

Cet
ouvrage,
le sept cent
soixante-sixième
de la collection
CASTOR POCHE,
a été achevé d'imprimer
sur les presses de l'imprimerie
Maury Eurolivres
Manchecourt - France
en septembre 2007

Dépôt légal : août 2000.
N° d'édition : L01EJENFP4787B008
Imprimé en france.
ISBN : 978-2-0816-4787-9
ISSN : 0763-4544
Loi n° 49-956 du 16 juillet 1949
sur les publications destinées à la jeunesse